서울과 아시아지역학 3

서울과

아시아지역학 3

대한아시아지역학연구회 지음

서문
서울과 아시아지역학의 만남

　서울은 아시아에서 가장 역동적이며 활발한 도시입니다. 한국의 수도이면서 최대도시답게 그 규모는 웅장하며 도시 경영에 있어 세계적으로 주목받는 도시입니다. 아시아의 영혼으로 새롭게 떠오르는 서울은 이제 그 규모와 위상에 걸맞은 철학이 필요합니다.

　도시는 기본적 철학이 없이는 정체된 공간입니다. 각자의 도시가 비슷해 보여도 그 나름의 고유한 역사와 문화가 담겨 있으므로 이러한 것이 융합되어 하나의 철학으로 세상에 모습이 드러나게 됩니다.

　서울에 새로운 도시 철학이 잘 정립된다면 그 도시는 최고의 경영 상태가 된 것과 같습니다. 아시아가 개벽되는 시대에 서울이 그 깃발을 들고 앞장선다면 그것은 서울의 영광을 넘어 대한민국의 영광입니다.

서울은 단순한 도시가 아니며 서울시민만 갖기에는 너무나 귀중합니다. 한국인은 곧 서울시민이며 서울은 한국인 모두의 것입니다. 서울이라는 도시를 한국의 사회적 실험장으로 쓰면서 누구나 서울 사람으로 된다면 새로운 혁신도 가능합니다.

우리는 서울을 통해 아시아지역학을 바라보았습니다. 그리고 그 과정에서 시도한 모든 도전과 웅비가 집약된다면 창의적 성장과 창조적 개혁이 가능할 것입니다. 서울을 통해 아시아지역학을 바라보면서 아시아의 세기를 만나길 기원합니다.

목 차

제 9 장

아시아지역학으로 보는 국제 정세

1. 일본이 탈아론에 실패한 이유

　근대 시기에 일본은 '탈아입구'로 대표되는 탈아론을 근대에 내세웠다. 이는 중국 중심의 동양 질서를 부수자는 취지와 근대화를 통해 서구 열강과 어깨를 나란히 하자는 취지를 가지고 있다. 그러나 이러한 일본의 탈아론은 실패했다.

　이는 일각에서 서구 중심의 근대론이 실패했음을 그 원인으로 찾는다. 하지만 그것은 완전히 틀렸다고 해도 과언이 아니다. 지리적 혹은 문화적으로 서구 중심은 틀렸다. 이는 우리가 다양한 동양의 문화도 존중하는 것에서 확인할 수 있다.

　하지만 학문적, 철학적, 과학적으로는 그렇지 않다. 우리가 그 영역에서는 예를 들어 현대과학이라고 하지 서양과학이라고 하는 사람은 없다. 이는 서양이 먼저 논리적, 수사적 연구 방법론을 고도화시켜서 학문적 성장을 이루어냈고 그 기저에는 논리적이고 과학적인 철학이 있기 때문이다.

하지만 중국은 땅이 넓고 인구가 많기에 체계적인 과학 발전을 할 필요가 없이 그저 통일된 중화 질서 속에서 과실이나 따 먹고 살면 그만이었다. 그렇기에 국소적인 기술이나 선문답 같은 도덕론에 메몰되어 버렸다. 일각에서는 중국을 중심으로 하는 동양이 수학과 과학에 천착했다고 하지만 그 수준은 매우 지엽적인 것이다. 당시 로마가 현재 다중우주론의 초보적인 수준이나 지구 구형설이 나온 것을 보면 그 수준은 초등학생과 대학생 수준이다.

이는 중국의 문명이 훨씬 늦게 시작한 것도 있지만 기본적으로 그 지형이나 환경이 부정적으로 영향을 미친 탓도 있다. 그리고 근대 시기에 중국인이 스스로 유학을 비롯한 동양 철학을 격하시키거나 문화대혁명 시기에 비림비공운동을 밀고 나간 것을 보면 가장 본 고장에서 오히려 더 큰 비판의 장이 열린 셈이다. 이것만 보아도 동양철학과 그 부산물인 과학이 얼마나 낮은 수

준인지 증명된 셈이다.

한편, 일본의 탈아론이 실패한 원인을 다시 살펴보면 상부 구조의 역할을 하는 기술은 잘 받아들였지만 하부 구조의 역할을 하는 과학적 철학과 논리적 현대 사유를 절반만 받아들였기에 실패한 것이다.

마치 경제학에서 코리아 리스크가 있는 것처럼 학문 영역에서 동양은 동양철학의 악영향으로 동양 리스크가 존재하는 셈이다. 그중에서도 가장 악영향을 미치는 것은 유교이다. 일각에서는 서양도 종교가 있어 비논리적 사유에 영향을 미친다고 말할 수 있다. 하지만 대표적인 서양의 종교인 기독교는 종교 밖으로 현대에는 잘 나가려고 하지 않는다. 그리고 동양에서도 불교는 종교로 역할을 올바르게 다하고 있다. 그러나 유교는 스스로 학문 행세를 하면서 자꾸 철학으로 행세하고 있다. 증명도 불가능한 궤변에 가까운 주장을 늘어놓으면서 철학 행세를 하면 그건 사기다.

유교가 스스로 종교로 역할을 하면서 제 자리에 있으면 동양 발전에는 아무런 지장이 없다. 하지만 스스로 종교라고 하면 종교 내에서 줄어든 영향력이 마음에 들지 않으므로 정신 승리를 하기 위해서 이를 부정하는 것이다. 심지어는 불교, 동학, 신토, 도교를 자기 거라고 우기는 황당한 짓도 서슴지 않는다.

그나마 근대 시기에는 서구 열강이 직접 총, 칼로 휘저어 놓았기에 철학 행세를 하지 않으며 철학도 종교도 아닌 제3의 무언가 행세를 했다면 요즘은 탈 제국주의 담론에 기생해서 철학 행세를 하며 현대 학문을 어지럽히고 있다.

차라리 철학 행세를 올바르게 하려면 현대 논리학적 체계라도 수용해서 대규모 구조조정을 하면 그것은 훌륭한 한 역할을 할 수 있지만 그렇지 않기에 엉망으로 만들고 있는 것이다. 이러한 유교의 문제를 길게 설명하는 것은 일본이 탈아론을 이상하게 적용하여 유교가 철학 행세하는 것에 동조해버렸기 때문이다. 그리고 이는 일본이 탈아론을 실패하고 지금까지 일본이 동양 리스크를 학문 영역에서 가지고 있는 근원이 된다. 물론 이러한 동양 리스크는 한국도 가지고 있고 중국, 대만도 모두 가지고 있다.

우리가 보기에 유교를 추종하는 자들의 권력적 허기

짐을 이해는 한다. 하지만 그것이 학문의 공론장에 난입해서 어지럽히고 나아가 나라를 망치면 진압해야 하는 것이 상식이다. 미친개에는 몽둥이가 약이듯이 미친개처럼 날뛰는 유교는 과학이라는 몽둥이로 때려잡아야 하며 필요하다면 물리적 강제력을 동원해서라도 유교라는 폭도를 진압해야 동아시아가 산다.

더군다나 한국에서는 유교 사상이 근원도 아니고 유교 이전에 이미 민족 사상인 단군 철학에 근간을 둔 동학이 있고 불교도 이전에 들어왔음에도 유교가 정신적 근원이라는 미친 소리를 하는 경향도 있다. 이들은 친중파이기 이전에 나라를 통째로 중화에 팔아먹으려는 정신 나간 사람들이다. 이들은 매국노로 간주하고 처형해야 정상으로 보일 정도다. 유교는 한국에서 종교적으로 N분의 1이라는 것을 인정하기 싫어하는 것은 정신병자로 밖에는 더 해석이 안 되며 역시 몽둥이가 약이라고 할 수 있다.

결론적으로 현대 동아시아는 일본의 탈아론이 실패한 올바른 이유를 제대로 파악하고 유교를 종교의 영역에서 올바르게 활동할 수 있도록 지원하면서도 종교의 울

타리를 넘어 학문으로 기어 나오면 물리적 강제력을 통해 올바르게 계도해야 학문에서 동양 리스크를 덜어내고 퀀텀 점프를 통해 서양과 어깨를 나란히 하며 제국주의의 깃대에 짓밟힌 과거에 대해 올바르고 통쾌한 복수를 완수할 수 있음을 제대로 알아야 한다.

2. 영국의 학문 위상과 창조적 고찰

　근래 영국의 학문적 위상은 세계적으로 상당하며 유럽 교육의 근대적 기원은 영국이다. 또한 북유럽, 아일랜드, 구 영국 식민지의 대학은 사실상 영국 대학과 같은 것으로 여기는 것도 그 학문적 위상을 알 수 있다.

　대표적으로 간호학에서도 영국의 위상이 상당하다. 미국의 듀크대가 세계 최고의 간호학 대학이지만 영국의 간호학 수준도 이에 못지않은 것으로 평가받는 것이 일반적이다.

　교육의 기반이 되는 경제적 측면에서 정유업계 슈퍼메이저인 에니와 토탈에너지스도 영국의 영향이 많으며 국내에서도 법조계를 중심으로 영국 변호사 자격 취득에 관한 관심이 증가하는 것도 간접적으로 영국의 학문적 위상을 위대하고 올바르게 고찰할 수 있다.

그러므로 우리는 영국의 학문적 위상을 재검토하여 새롭게 영국과의 학술 교류를 늘리고 확장하며 유학생 파견도 증대해야 하는 것도 한국의 학문 발전에도 창조적으로 도움이 된다는 것을 명심해야 한다.

3. 내몽골의 혁명적 재발견

일반적으로 일상에서 몽골 하면 몽골 공화국(외몽골)만 생각하지만, 흔히 내몽골이라고 불리는 남몽골도 몽골에서 차지하는 부분이 상당하다. 하지만 내몽골은 중국의 식민지가 되어 현재는 하나의 자치 지역으로 남아 있으므로 이러한 부문에서 안타까운 측면이 있다.

이러한 식민지 상태는 민족자결주의에도 어긋나고 국제적인 인권도 훼손하는 행위이다. 중국은 내몽골의 강점을 풀고 몽골 공화국에 반환해야 하며 명칭도 중국 중심적인 내몽골이 아니라 남몽골로 다시 고쳐야 하는 것이 온당하다.

또한 우리가 모두 현재 중국에 내몽골 자치구라는 허위적 이름으로 예속 상태에 놓여 있는 남몽골의 독립을 지지하고 중국에 의한 남몽골인의 탄압을 반대하며 독립 조직에 대한 적극적인 지원과 국제적인 연대의 장을 올바르게 열어나가야 하는 필요성도 바르게 제기된다.

한편, 내몽골에서 한국어 보급을 확대할 필요가 있다. 이는 영국 런던의 한국어 사용자가 매우 유의미하고 의미 있는 소수 언어 집단으로 굳어진 것을 보면서 내몽골에 여러 몽골족의 영향을 받은 소수민족 문화의 전파와 함께 한국어 사용자 확대를 위한 한국어와 태권도 및 관련 한류 문화의 확장도 연구할 필요가 있다. 이는 내몽골이 중국과 다른 독자적 문화를 구가하도록 하는 것에 도움이 되고 중국과 구분 짓기가 가능하여 내몽골이 중국적 문화에 흡수되지 않고 독자성을 유지할 수 있게 선한 영향력을 미치는 정의로운 도움이 된다.

4. 중화권 위협 시대와 한국의 생존

　중화권이 근래에 여러 부문에서 위협적으로 성장하면서 한국이 관련한 압력에서 벗어나지 못한다. 이러한 중국의 압력을 해소하기 위해서는 다양한 생존전략을 택하여 한국의 자주성과 독립성을 담보해야 한다.

　고로중국과의 문화적 및 경제적 분리를 위해 인도와의 관계를 강화해야 한다. 인도 현지의 한국 기업 진출은 기본적으로 해야 하며 힌디어의 대입 반영과 교육 확대를 해야 하고 스포츠에서 크리켓을 장려해야 한다.

　아울러 대만과의 관계를 증진하여 중국의 이익 지역을 분산하여 한반도에 대한 중국의 관심을 줄여야 한다. 국내에서 타이완이라고 하지 말고 대만이라고 명칭을 사용하고 가오슝에도 영사관에 준하는 주타이베이대한민국대표부 가오슝사무소를 설치해야 한다.

국제적인 외교도 강화해야 한다. 미얀마, 몽골에 관한 관심을 증가하고 친인도 부족인 카친족, 카렌족에 관해서도 관심을 가져야 한다. 카친족은 퀘벡처럼 미얀마에서 자치권을 가지고 대외적으로 대표부를 설치할 정도로 능력이 뛰어나다. 그렇기에 관심을 가질 필요가 있다. 가까운 이웃인 일본에 대해서는 독도 영유권과 과거사 문제를 해소해야 협력이 가능하므로 대마도 영유권 주장과 같은 압박 전략이 필요하다.

　군사적으로는 여성 징병제를 시행하며 장기적으로는 모병제를 계획하고 교육 부문에서는 고구려, 발해의 역사를 재조명하고 발해가 고려에 흡수되었음을 확인하고 고구려와 발해가 백제가 일본에 영향을 준 수준 정도로 중국에 영향을 주었음을 재인식하여 동북공정을 타파해야 한다. 이를 통해서 국내에서 친중적 사고를 줄이고 새로운 혁신을 해서 앞으로 슬기롭게 나아가야 한다.

5. 통섭적인 동아시아 문제 고찰

중화를 포함한 여러 동아시아 문제를 독립적으로 재해석할 필요성이 근래에 제기된다. 대표적으로 종교의 경우 도교는 중국의 민족 종교이지만 세계적 특성이 있는 것은 자명한 사실이다. 그러나 한국의 동학, 일본의 신토가 중국의 도교와 비슷한 위상이 있으며 세계적 특성과 보편성이 있다는 것은 최근에 밝혀진 사실이다.

한편 동학은 원불교, 천도교, 대종교, 증산교, 선교 등 한국의 모든 민족종교를 포괄하며 신토도 행복의과학, 천리교 등 일본의 모든 민족종교를 일괄적이고 융합적으로 포괄한다는 것도 새롭게 알려진 사실이다.

이외에 '국제연합헌장 및 국제사법재판소규정'에 있는 적국 조항도 당시의 추축국인 일본제국, 나치독일, 이탈리아왕국과 현재의 일본국, 독일연방공화국, 이탈리

아공화국은 별개의 국가이며 적국 조항을 후자의 국가에 대상으로 포함할 수 없으므로 사실상 사문화된 조항으로 보는 것도 새롭게 재해석 된 사실이다. 이는 과거 연구회에서 중의사도 한국에서 한의사 활동을 할 수 있도록 해야 한다는 주장처럼 창조적 연구를 통한 타 학문과의 만남에서 얻은 성과이다.

이외에 한국, 중국, 일본의 학벌주의 심각성과 특정 학교 출신이 그 국가 내부의 사법부를 독식해서 문제를 일으키는 것에 대한 획기적인 개선 필요성도 새롭게 밝혀진 사실이다. 고로 이를 해결하기 위해서는 법학전문대학원을 증설하고 자교 학부 출신의 비율을 50% 아래로 낮추어야 한다.

결론적으로 이러한 동아시아 문제를 제기함으로써 새롭게 동아시아가 독립적으로 재해석하고 해소할 수 있는 계기가 된다는 의의가 있으며 이를 창조적으로 바라보면서 평화와 번영의 동아시아를 선도할 수 있다.

6. 흑사병과 근대로의 패러다임 전환

근대의 시작을 나뉘는 기준은 학자에 따라 다르지만 타의에 의한 기준은 흑사병(Black Death)이 유일하다. 본 전염병은 14세기 세계를 휩쓴 대유행 전염병으로 7,500만 명 이상의 인구를 사망케 한 것으로 추정될 정도로 현재까지 인류 역사상 가장 큰 피해를 준 전염병이다. 흑사병은 몽골 제국이 유럽을 침공하면서 함께 전파되었는데, 당시 몽골군이 투석기를 통해 감염자를 성안으로 던지기도 했다는 기록이 있다.

공포의 학살자로 불리게 된 흑사병의 창궐로 유럽의 문명은 큰 타격을 입었다. 도시는 황폐해졌고, 경제는 마비되었으며, 사람들은 공포와 슬픔에 빠졌다. 흑사병은 당시 유럽의 지배 이념인 기독교의 권위를 완전히 파괴하고 무너뜨렸다.

한편 흑사병은 동양에도 큰 타격을 주었으며 전통적 봉건 질서에 상당한 금을 가게 만들어서 서양과 동양이 근대로의 패러다임 전환에 큰 영향을 미치게 된 독특한 전염병이라고 볼 수 있다.

한편 이러한 패러다임 전환에 있어 다양한 근대적 사고가 현대에도 영향을 미치고 있다. 북한의 경우 성균관의 역사성을 재발굴하기 위해 이를 계승하고 개성에 고려성균관이라는 대학을 설치하고 국가적으로 최우수 대학으로 대접하면서 관련 지원을 이끄는 점에서 근대의 패러다임 전환이 불러온 역사적 고찰에 영향을 받았다고 볼 수 있는 셈이다.

세계사에서는 이집트 제7왕조가 역사적으로 존재한 왕조이고 이를 부정하는 것은 서구의 제국주의적 편협성에 기인한 것으로 알려졌으며 교육에서는 국내 과학중점고등학교는 해당 과학중점고 폐지 직전에 운영하는 기수가 졸업한 시기를 마지막으로 폐지된 것으로 보며 운영 형태는 다양하므로 단순히 관련 반 설치나 세부 사항으로 구별하는 것은 몹시 무의미하고 편협하다는 것도 근대적 패러다임 전환에 따라서 고찰할 수 있다.

7. 젊음이 진보를 배신하면 그것은 죄악이다

모든 인간은 태어나서 죽는 과정에 있어 청년기를 지나게 된다. 인간이 살면서 다양한 시기를 겪지만, 그 과정에서 젊음이 역동하고 청년기에는 진보를 향해 나아가야 한다. 이는 청년기 이전에는 인간으로서 성장하며 완성하는 단계이고 청년기 이후에는 노화로 인해 새로운 것을 향해서 나아가더라도 상당한 어려움이 있기에 그러기 어렵기 때문이다.

그렇기에 청년기에는 항상 새로운 문화를 흡수하면서 앞으로 나아가는 것이 상식적이다. 하지만 이러한 청년기에 레트로와 같은 복고적 문화에 빠져서 변화를 주도하지 못한다면 그 시대의 발전은 그만큼 뒤처지고 느려지게 되는 것이다.

이전 시대나 이후 시대나 모두 청년이 변화에 힘을

쓴 만큼 발전한다. 지금 청년이 얻은 진보의 산물은 이전 시대 청년이 변화에 매진하여 얻은 것이다. 그러니 지금 청년이 복고 빠진다면 자기 세대에 대한 죄악을 넘어 다음 세대에게도 민폐를 끼치는 악행이다.

트로트와 같은 지나간 가락에 파묻히지 말고 나아가 변화를 주도하면서 새로운 문화에만 집중하는 것이 진정한 청년의 자세이고 진짜 인류애가 넘치는 모습이다.

8. 위헌 정당 해산과 민주적 정당성

　정당 해산에 있어 비례의 원칙은 무엇보다 중요하다. 이는 같은 부정이 일어나도 군소 정당의 경우 그 정당에서 차지하는 비율이 다르기 때문이다. 예컨대 거대 정당에서 부정이 발견되면 그것은 일부에 불과하지만, 소수 정당에서 동일한 크기의 부정이 발견되면 그것은 정당의 다수를 형성한다. 정당의 노선이 상당히 문제가 있고 그 정당에서 공직 선거전 과정에서 광범위한 부정이 일어나고 일부 그림자 수뇌부가 반란에 준하는 행위와 부정으로 법적 처벌을 받고 선거에서 대중의 불신임을 지속적으로 받았으며 그 정당이 국민에서 정신적으로 위해를 준다면 해산하는 것이 응당 정당한 것이다.

　아울러 정당에서 주류를 중심으로, 조직적으로 경선 부정행위가 발생하면 대개 당권파와 비당권파의 갈등이 발생한다. 그 과정에서 비당권파가 탈당했을 경우 당에는 당권파만 남게 되므로 주류에 의해 행해진 조직적 부정행위를 당에도 책임을 물을 수 있다. 그러므로 정당 해산에는 그 정당의 역사적 부정행위와 그것이 현시점에 미치는 악영향을 고려하면서 여러 수단을 통해 개선되지 않고 장래에도 그러한 일이 발생하면서 정치적인 문제를 일으킨다면 해산할 필요가 있다.

　또한 그 과정에서는 위에서 언급한 비례의 원칙을 적용하면서도 정당 해산 판결 시점의 정당 구성 현황을 기준으로 해야 하며 정당 해산 청구 이후 치러진 전국 단위의 선거에서 피청구 정당이 참패하면 이러한 청구에 정치적 정당성이 강화된다고도 볼 수 있다. 그리고 정당 해산을 하더라도 그 구성원의 정치 행위를 막지 않고 내부 극단주의자 일부만 처벌하고 선출직 공무원 자격을 전원 박탈하지 않고 일부 남겨두는 것은 최소한의 장래 정치 활동 가능성을 주면서 노선의 전환을 통해 헌법 내 민주 정당으로 편입될 수 있도록 일깨우는 측면에서 그 정당 해산은 최대한의 관용을 베풀고 다양성을 인정한 것으로 보아야 한다.

한편 정당 해산 결정에서 악마의 대변인 역할을 위해 1인의 재판관이 기각 의견을 내어주는 것은 정당 해산 결정 특성상 더욱 민주성을 강화하고 해산 논리의 강화를 하는 역할을 해주므로 그 재판관 1인의 기각 의견을 가지고 정당 해산의 부당성을 설파하는 논리적 근거로 악용하는 것은 부당하다. 이는 최소한 그 결정이 논쟁이 되려면 재판관 2인 이상의 기각 의견이 있어야 설득력이 있기 때문이다. 그리고 일부 언론과 타 정당의 해산에 대한 반대 의견은 표현의 자유로서 존중받아야 하지만 그것은 일각의 의견에 불과하지, 법리적인 반박이 부재한 것이므로 해산의 부당성을 논하는 논거로 사용할 수 없다. 또한 정당 해산의 경우 절차상 문제가 없으며 다수 국민에게 민주적으로 추인되었다면 그것에 대해서 이견을 내거나 허위적 주장을 하는 것은 오히려 비민주적이므로 그것에 대해서는 더 이상 이견을 내서는 안 된다는 점도 있다.

제 10 장

평화학의 도전과 이해

1. 평화학을 만나다

평화학은 평화에 대해서 다루는 인문학입니다. 원래 평화 관계에 대해서는 정치학에서 다룹니다. 하지만 정치학 내에서 평화 개념은 몹시 협소하다는 일련의 지적으로 독자적으로 연구되었고 이 과정에서 문화학과의 연합을 통해 평화에 대한 다양한 정의와 혁신을 이루게 되어 독자적인 학문으로 자리매김합니다.

기본적으로 평화학은 생명학이며 소수자 중심 학문입니다. 기존의 학문에서 다루지 않던 소수자 관련 담론과 개념을 적극적으로 차용했으며 철학, 문학, 사학, 신학, 종교학, 언어학, 인류학, 예술학, 고고학의 개념을 통섭적으로 받아들였습니다.

또한 아시아지역학처럼 비서구적 가치를 재발굴하며 서구의 독점적 학문 카르텔에 반대하고 개별 주체들의 자주적 가치를 독자적으로 발견하면서 평화의 가치에 대한 확장과 독립적 학문 성장을 모두 해냈습니다. 이러한 점에서 아시아지역학과 평화학은 긴밀하게 관련되어 상호 소통을 한다고 해도 과언이 아닙니다. 그리고 신생학문인 국제지역연구학과도 소통합니다.

그리고 평화학은 인도에서 가장 활발하게 연구가 일어나고 있습니다. 인도가 평화의 나라라는 말처럼 말입니다. 그리고 평화학은 인도학, 외국어로서의한국어학, 인문학적법학, 인문학적경영학 등과 융합하고 있습니다.

현재 평화학은 계속 성장하고 있습니다. 평화학이 다루는 영역은 지속적으로 넓어지고 있으며 모든 인문학적 영역에서 평화라는 가치가 확장되면서 모색되고 있습니다. 단순히 국제적 평화를 넘어 자아의 평화를 위해서도 우리는 온전한 평화의 가치를 발굴하면서 새로운 혁신의 길로 나아가야 합니다.

2. 한국의 평화를 위한 대담한 전략

　한국은 남북 분단 상태에 놓인 국가로 비평화 상태에서 상당히 고통받고 있다. 이러한 상황에서 평화를 위해서는 다양한 전략이 필요하며 기본적으로 평화학은 통일학과 사실상 같은 면모가 있기에 한국의 평화를 위해 화합을 끌어내야 한다.

　그러기 위해서는 기본적으로 영호남의 화합을 위해 하나의 권역으로 상호 소통하도록 교통 시설을 비롯한 사회 기반 시설의 확충이 필요하며 남북문제에 있어서는 북한을 한국의 속지처럼 강한 영향력을 미치는 곳으로 만들어야 한다.

　그리고 한국의 문화와 얼을 재발굴하기 위해 제주어를 활성화하고 그 단어 중 고구마를 살마우, 학교를 헥교, 우아함을 닝닝, 보배를 릴리라고 부른 사장된 단어의 재발굴이 필요하며 왜성 문제에 대해서도 현재 남은 왜성은 임진왜란 이후 조선군이 인수하여 개조하고 한국의 성으로 재사용했으므로 그 명칭에서 '왜'라는 단어를 삭제하고 조선의 성으로 여겨야 한다.

아울러 족보에서 경주 김씨는 본관 지역에 대한 애착이 강해서 사실상 고향이 경주 사람들로 보아야 하는 점과 세계무형문화유산에 한의학을 등재하고 상재상서와 같은 기독교 기록 유산을 세계기록유산에 등재하도록 추진해야 한다는 점이 있다.

결론적으로 돈이 많으면 행복하기는 많지만, 많은 불행은 막을 수 있다는 말처럼 우리가 가진 평화를 확립하기 위해서는 여러 방면에서 변화와 혁신을 주도하고 이를 바탕으로 한반도의 개혁을 추구해야 한다.

3. 호남과 영남의 지역갈등 해소 방안

　한국에서 상당한 정치적 문제이자 필수적인 해결 과제로 꼽히는 호남과 영남의 지역 갈등은 우리 사회의 해묵은 폐단이자 고통으로 손꼽힌다. 물론 현재는 양 지역 간의 교통과 통신이 발달하면서 오해나 편견은 사라졌지만, 정치적 편향성은 아직 해소되지 못했다.

　이는 다른 지역과 달리 특정 정당이 한 지역을 독식하므로 지역주민에게 이익이 되지 못하며 경제적으로도 불비한 경우가 많이 발생하여 큰 부담과 어려움을 야기한다. 따라서 이를 해소하기 위해서는 제도적 개선도 필요하고 양 지역의 정당 조직 육성도 필요하지만 먼저 행정적 부분에서 개선과 교류를 제시하고자 한다.

　상호 간의 부지사 교환 임명을 추진한다면 지역감정 해소와 정당 조직 형성에 도움이 될 것이다. 예를 들어

전라남도 부지사, 광주광역시 부시장에는 국민의힘 인사를 임명하고 경상북도 부지사, 대구광역시 부시장에는 더불어민주당 인사를 임명해야 한다. 이러한 교차임명을 조속히 유도하기 위해서 4개 지방자치단체에는 상대 정당 소속 인사만 임명할 수 있는 사회통합부단체장을 신설하여 부단체장을 하나 늘려준다면 그러한 유인 요소가 상당할 것으로 생각한다.

아울러 대구광역시 경제부시장에 더불어민주당 인사가 임명된 적이 있지만 이는 일시적이었고 경상남도, 부산광역시, 울산광역시는 더불어민주당 지방자치단체장과 부단체장 그리고 지방의원이 여럿 탄생한 사례가 있으므로 이 지역은 본 제도를 도입하지 말고 내부에서 조직 건설을 해야 한다.

마지막으로 전북특별자치도의 경우 영남에서 PK에 대응하는 지역이지만 국민의힘 지지율이 PK[1]에서 더불어민주당에 미치지 못하므로 사회통합부단체장을 도입하여 국민의힘 계열 인사를 임명함과 더불어서 전주시에도 사회통합부단체장을 도입하고 전북특별자치도의

---

1) 부산광역시, 울산광역시, 경상남도를 통칭하여 일컫는 말

회와 전주시의회, 군산시의회에도 사회통합자문관을 도입하여 국민의힘 인사를 임명해야 한다. 또한 국민의힘 차원에서도 전북에 대한 지원과 전북 출신 인사에 대한 배려와 비례대표 국회의원 임명 등이 필요하고 더불어 민주당도 PK를 일부 얻은 만큼 전북에서는 국민의힘에 일부 양보가 필요하다고 할 수 있다고 보인다.

4. 카르다쇼프 척도 1단계 문명과 평화 세계

한반도를 비롯하여 인류 문명은 아쉽게도 카르다쇼프 척도 1단계 문명도 되지 못했다. 우리가 상온 초전도체에 흥분한 것도 이러한 인류 문명 발전을 앞당기고자 하는 마음에서 비롯된 것이다. 아시아지역학도 이러한 인류 문명 발전에 이바지하는 것을 사명으로 하면서 많은 학자들이 지금 이시간에도 잠을 자지 않고 노력하며 연구하고 있다. 이 가운데 우리는 우리가 가진 것의 소중함을 여겨야 한다. 물론 유교와 같은 구시대의 잔재는 일소해야 하지만 한의학과 같은 우리의 소중한 것은 반드시 챙기고 발전시켜야 한다. 또한 아시아지역학이라고 하면 다소 따분하지만 그래도 인도와 몽골의 아주 가까운 역사적 관계를 서방 학자가 찾지 못했지만, 아시아지역학에서는 찾아냈다는 의의도 있다.

또한 아시아지역학은 사고를 확장해 준다. 예를 들어 55년 체제 일본의 총리는 대부분 자유민주당 출신이다. 하지만 헤이세이 시대가 되면서 호소카와 모리히로, 하타 쓰토무, 무라야마 도미이치, 하토야마 유키오, 간 나오토, 노다 요시히코 같은 민주당 총리도 배출되었다. 이는 정치가 자민당에 쏠려있는 일본도 민주당 총리를 조금이나마 배출하여 최소한의 비주류 생존을 보장하는 것이다. 그 덕분에 근래에 민주당은 다시 한번 정권을 잡을 수 있다는 소식이 들린다. 이러한 사고의 확장은 일본 총리의 예시에서 보듯 외국어대학에 대한 우리의 편견을 일소한 전력이 있다. 보기에는 자연계 학과 위주 대학이라 쉽사리 외국어와는 관련 없다고 쉽게 사고하지만 실제로는 생명과학정보학과, 산업경영공학과, 디자인학부, 예술학부, 정보통신공학과는 외국어를 많이 다루고 특히 특수외국어도 해야 하는 만큼 사실상 외국어대학과 다를 바가 없다는 것도 새로이 알게 된 사실이며 특히 자연캠퍼스 내에 설치된 자연과학대학, 공과대학, 예술체육대학, 건축대학, 국제학부는 외국어를 상당히 많이 다루고 희귀한 언어도 학문적으로 다뤄야 하기에 외국어대학이라고 불려도 손색이 없을 정도이다. 그리고 자연캠퍼스에서 가르치는 과목 중 '현대중국의 이해', '중국문명사와전통문화'는 중국이지만 사실상 인도에 대해서 가르치는 과목이다. 이는 중국 관점에서 인도를 중국 문화권에 포함된다고 보는 시간에 기인한 것으로 다소 중국에 기울어진 친중적 입장이기는 하지만 인도에 대해 심도 있게 다룬다는 점에서 의의가 없지는 않은 편이며 자연캠퍼스가 특수외국어를 중시하고 학술적으로 필요하다는 상당한 증거이다.

이외에 경영학 방계 과목으로 경제학, 국제행정론, 위대한지도자와그들의선택, 정치학, 중국문명사와전통문화, 삶과철학중국어강독, 중국통상및시사, 문화예술과감각활용, 바이오헬스인문학, 4차산업과서비스경영2, 국제지역학, 중국어권문화가 있고 이것은 아시아지역학 과목으로도 활용된다는 것도 이를 통해서 새롭게 알 수 있다. 고로 이러한 혁신과 사고적 탐구가 카르다쇼프 척도 1단계 문명 달성에 상당한 도움이 되는 것이다. 그리고 이러한 문명 달성은 평화 세계로 나아가는 길이 된다.

5. 원더걸스와 한류 평화 문화의 확산

　21세기에 한국의 가수들은 세계적인 인기를 가지고 있으며 빌보드나 국제적 상을 받는 것은 더 이상 뉴스가 될 수 없을 만큼 한류가 세계 주류 문화가 되며 한국 음악이 국제적으로 위상을 떨치고 있다. 그러나 이러한 시작에는 원더걸스의 무모한 미국 진출과 성장이 있었다. 다들 알다시피 원더걸스는 한국 역사상 최고의 인기를 구가한 걸그룹이다. 해외 진출도 하지 않았는데 중국, 일본, 대만, 인도, 이란, 아랍, 동남아시아, 중앙아시아에서 엄청난 인기를 끌었다. 그리고 평화를 추구하며 한류 문화의 수준을 높이고 세상에 전파했다.

　하지만 당시 우리나라는 서방에 밀려 문화적으로는 변방이었기에 한류의 인기는 아시아에 국한되었고 비아시아권에서 한류의 인기가 아쉬웠다. 이를 원더걸스는 정면으로 돌파하고자 미국에 진출했고 아무도 예상하지 못한 한국 가수 첫 빌보드 100 진출이라는 성과와 북미 대륙에 최초로 한국 음악의 인식을 하게 만들었다. 그리고 원더걸스는 북미를 넘어 남미, 유럽, 아프리카, 오세아니아까지 세계에 그 명성을 크게 얻었으며 특히 발매곡인 는 인도에서 엄청난 판매량과 인기를 끌었던 것으로 상당히 유명하다.

결론적으로 한국 아이돌 가수가 세계적인 인기를 끌게 된 것도 그리고 처음 그 세계적 인기를 누린 것도 모두 원더걸스의 공이다. 그 덕분에 과거에는 엄청난 영향력을 가진 방송국 음악 프로그램과 국내 음악상이 이제는 원더걸스가 워낙 세계에서 상을 받고 인기를 끌고 나서 아무도 관심 가지지 않게 된 것이다.

고로 원더걸스 덕분에 현재의 한류가 있으며 현재의 걸그룹 모델은 원더걸스를 벤치마킹한 것과 다름없다. 그래서 세계에서는 원더걸스를 아시아 대표 걸그룹이자 최고의 걸그룹으로 여기고 존경하며 사회적 현상으로 연구하는 것이며 심지어는 외국에는 작은 박물관도 존재하고 원더걸스 이름을 딴 숲이 만들어지고 우표와 카

드도 발행되었을 정도이다. 그러므로 원더걸스가 있기에 지금의 한류와 한국 음악의 세계적인 확산이 있었다. 후배 가수와 관련 종사자들은 이를 기억해야 하며 이를 기억하지 못한다면 상당히 좋지 않은 것이다. 그렇기에 원더걸스가 추구한 평화 문화를 다시 살펴보면서 한류의 평화적 혁신에 노력해야 한다.

6. 지방 소멸과 저출생의 평화 위협

　대한민국의 출생률이 날이 갈수록 떨어지고 있다. 이러한 상황이 계속된다면 한국의 존망은 바람 앞의 등불과 같다. 이 상황에서 출생률을 올리고 지방 소멸을 막으려면 획기적인 전환이 반드시 필요하다.

　우선 기본적으로 청년에 대해 존귀한 인식을 가져야 한다. 우리나라는 존속살인죄가 존재한다. 비속이 존속을 살해하면 가중 처벌을 받는데 구태의연한 유교적 악습에서 비롯된 법률이다. 외국에서는 살인죄와 동일하며 별도의 법조목이 없고 오히려 부모가 자녀를 살해하면 가중처벌 받는다. 이는 노인에 비해 청년이 사회적 기여가 앞으로 많고 사회를 젊게 하므로 그 생명의 가치를 더욱 중요하게 보는 것이다. 그러나 우리는 이를 반대로 보고 있으니, 선진국처럼 올바르게 바꿔야 한다.

또한 지방 소멸의 해소는 기본적으로 저출생 해소이다. 출산율을 높이기 위해 불필요한 행위를 하지 말고 출산 시 1억을 지급하는 것이 가장 합리적이다. 그리고 우리보다 먼저 저출생을 극복한 영국과 협력하여 여러 노하우를 얻고 제대로 개선해야 한다.

이외에 지방 소멸을 방지하기 위해서 획기적인 지방 지원이 필요하다. 제2차 혁신도시를 통해 공기업, 공공기관, 정부 부처의 이전이 필요하다. 여성가족부, 산업은행, 중소기업은행, 한국지역난방공사를 이전하고 어촌진흥청 관련 법률을 통과시켜서 지방에 어촌진흥청을 설치하고 어민 조직을 지원하여 확대하고 지방의 어업도 살려서 일자리도 창출해야 한다. 그리고 과거 지방 소재 은행을 인수한 시중 은행의 지방 기여를 확대하고 대기업의 지방 이전을 위한 인센티브를 늘려야 한다.

인프라 측면에서는 지방에 소재한 지하철을 늘리고 급행을 도입해야 하며 한국방송공사 산하 지방 총국을 독립시켜서 총국장 명칭을 사장으로 변경하고 자체적인 인사권, 재정권, 편성권을 부여해야 한다. 그리고 지방 언론에 대한 지원도 아끼지 말아야 한다.

행정적인 측면에서는 특례시의 독립성을 강화하여 특례시 명칭의 법적 사용을 허용하고 특례시마다 지방법원을 설치해 주며 비수도권은 인구가 50만이 넘으면 특례시 설치를 허용해 주어야 한다. 또한 안동시, 경주시와 같이 역사성이 높은 도시는 인구와 상관없이 특례시를 설치하고 관련 지원과 권한을 일반 특례시와 동일하게 차별이 없도로 해야 한다.

　한편으로는 수도권의 역차별 해소를 위해 용인시와 같은 시에는 법원을 비롯한 관련 행정 기관을 설치하고 세종특별자치시는 충북권에 넣어서 충남권과 충북권의 균형을 맞추어야 한다. 그리고 지방 소재 사업장을 늘리기 위해 공식 지점 등록을 하지 않더라도 사실상 그 지역에서 장소를 두면서 사업을 영위하면 사실혼처럼 사실상의 지점으로 법적 인정과 보호를 하여야 한다. 또한 교육적 측면에서 지방 대학에 관한 지원 확대와 의대 증원을 늘리고 울산대 법대처럼 우수한 학과를 지원하면서 울산대, 조선대, 동의대, 한동대, 경상국립대에 로스쿨 설치도 적극적으로 고려해 보아야 한다.

　결론적으로 위에서 언급한 다양한 방안들을 적극 시

행하여 지방 소멸과 저출생의 늪에서 빠져나와 한국이 새로운 성장의 장을 열 수 있도록 정부와 국민 그리고 기업이 최선을 다해야 한다. 그리고 그렇게 해야지만 우리는 평화를 지킬 수 있음을 알아야 한다.

7. 철학으로 보는 한반도의 평화

평화의 본고장 한반도는 일본과 중국 사이에서 자주성을 지켜온 고유한 영역이다. 이러한 한반도를 수호하기 위해서는 그 역사를 보고 철학을 구상해야 한다. 특히 근래에 미국과 중국의 갈등 속 한반도가 살길을 모색해야 하는 것이 현시대의 가장 중요한 과제이다. 특히 현시대의 미국과 중국의 갈등은 신냉전이라고 불릴만큼 몹시 심각하다. 이러한 현실 속에서 한반도의 운명은 심각하며 잘못하다가는 과거처럼 또 열강에 끌려다닐 수 있는 위험이 있다. 우리는 우리의 자주를 지키고 독자적인 목소리를 내기 위해서는 한반도 문제에 대해서 2가지 관점을 가져야 한다. 그렇기에 친미도 친중도 아닌 '제3의 선택'이 요구된다.

먼저 우리의 지정학적 상황을 살펴보면 우리는 중국

이 지리적으로 가깝기에 중국의 영향력이 좀 더 강한 편이다. 이때 중국의 모든 국력이 한반도에 집중된다면 우리는 어떠한 것도 할 수 없다. 그러므로 대만, 몽골과 같이 다른 곳으로 관심을 돌려서 한반도에 집중하지 못하도록 해야 한다. 이와 더불어서 인도와 같은 제3세력을 한반도에 개입시키고 복잡하게 문제를 만들어서 완충 세력이 존재하도록 해야 한다. 그리하면 미국과 중국도 직접적으로 한반도에서 충돌하지는 않을 것이다. 그러므로 우리는 절대로 미국과 중국의 한쪽 편을 들어서는 안 되며 단순한 중립이 아닌 능동적 중립을 통한 제3의 선택을 해야 한다. 그러기 위해서는 중국과 경쟁할 수 있고 미국의 영향력 밖에 있으면서도 세계의 공장과 그 무역의 힘을 분산하는 인도를 키워야 한다.

한편 자주성을 위해 동학 철학의 재발견이 필요하다. 독자적인 철학이 없는 국가는 아무리 부유해도 다른 국가의 정신적 식민지이다. 우리나라도 철학이 존재하지만 서양 철학이거나 동양 철학이라도 중국의 유교, 도교 철학이거나 아니면 인도의 불교 철학이다. 고로 우리의 독자적 철학인 동학을 키워서 발전해야 성장할 수 있다. 특히 현대 사회는 복잡성이 증가하는 사회이므로 후천개벽을 주장했던 동학의 면모가 잘 적용될 수 있을 것이다. 그리고 동학은 물리학의 반물질 개념을 적용할 수 있다. 하나의 예를 들면 이중성(duality)이나 상호보완성(complementarity)에 대한 철학적 개념에 반물질을 접목해 볼 수 있다. 물리학에서, 모든 입자는 그에 상응하는 반입자(반물질)를 가지며, 이 두 가지는 서로 없앨 수 있는 관계이다. 이것은 어떤 방식으로 보면 같은 존재의 두 가지 다른 면을 나타내는 것일 수 있으며, 우리가 세상을 이해하는 방식에 대한 통찰력을 제공할 수 있다. 이러한 생각은 동양 철학의 중요한 요소인 '음양' 개념과 도 관련이 있다. 음양은 서로 대립하면서도 보완적인 원리로서 우주의 모든 현상을 설명하려고 하므로 비슷하다. 이와 관련한 또 다른 예시로는 '존재와 부재'라는 주제를 들 수 있다. 반물질과 물질이 만나면 서로 소멸하므로, 이것은 '부자'라는 개념으로 연결될 수 있다. 즉, 어떤 것이 존재하더라도 그 반대편에서 그것이 없어지게 하는 힘이 작용한다고 볼 수 있다.

한편 순수한 한국 철학은 대부분 동학의 우산 아래에

있기는 하나 천도교, 대종교, 증산교는 그 연관성을 튼튼하게 했지만, 아직 무교(巫敎), 원불교, 선교와의 철학적 연결은 부족하므로 이 부분에서 보완이 필요하다고 할 수 있다. 또한 아시아지역학의 경영학 접목 사례처럼 경영학을 깊이 있게 연구하고 회계나 인적자원관리 같은 경영학적 기술을 응용하여 동학 철학의 기능으로 접목한다면 창조적 활용과 현시대에 맞는 실용적 면도 발굴할 수 있을 것이다. 이렇게 동학을 21세기에 맞게 재편한다면 우리 철학의 기반을 강화하고 앞으로 여러 이론적 배경이 탄생하여 정신적 독립성을 강하게 지킬 수 있을 것으로 기대된다.

과거 한민족 최초의 국가 고조선을 살펴보면 동아시아에서 중국과 한국은 상호 교류하지만, 별도의 문화권을 가지고 있다는 증거 중 하나로 오랜 기간 독립된 국가로 있었다는 것을 들 수 있다. 이러한 점에서 한민족 최초의 국가인 고조선은 그 의미가 상당하며 태초부터 자주적인 독립 국가로 구성되었다. 그러나 중국 왕조 중 일부가 고조선에 대해서 왜곡하여 우리가 중국에 종속된 국가인 것처럼 보이도록 여러 왜곡을 하였다는 주장이 있다. 일례로 기자조선이 거짓인 것은 이미 대중도 알 만큼 유명하다. 이는 위만조선을 변형하여 기자조선이라는 이야기를 창작한 것으로 중국 사서에서 말하는 기자는 모두 위만으로 보고 해석하면 된다. 그러나 위만이 중국 사람이라는 것은 중국의 주장에 불과하다. 실제로 위만은 귀화한 중국 사람이 아니라 준왕의 동생이다. 즉 준왕과 위만이 왕권을 두고 형제간의 군사적 충돌과 위만의 군사 쿠데타가 이어진 것이다.

상식적으로 귀화한 사람이 갑자기 세력을 모아서 왕위를 찬탈하는데 백성들이 동조하는 것도 역사상 유례를 찾기 어려운 일이다. 무력으로 국가를 정복하고 지배 세력이 되었음에도 기존의 지배 세력의 모든 요소를 그대로 유지한다면 어떤 형태로든 금방 왕권이 뒤집힐 가능성이 높음에도 그리한다는 것은 비정상적이다. 고로 준왕과 위만은 형제 관계이고 상대적으로 중국과의 교역을 강조한 위만이 왕위를 물려받은 준왕의 왕권을 탈취하기 위해 상대적으로 감시의 눈초리가 약한 국경 인근에서 세력을 키우고 중국과 교류하면서 쿠데타를 벌이고 왕권을 찬탈한 것으로 보는 것이 상식적이다.

또한 위의 가설을 토대로 보면 위만에게 왕권을 찬탈당한 준왕이 한반도 남부로 하방하여 설립했다는 진국(辰國)은 거짓에 가깝다.

실제로 한반도 전역과 만주 일대는 고조선에 의해 단일적으로 통치되었으며 진(辰)의 경우 한반도 남부 일대를 부르는 지명에 불과하다.고로 진국은 준왕이 쿠데타 이후 남부로 귀양 간 것을 중국에 의해 일부 유리하게 변조되어 그 역사가 왜곡되고 창작된 것이다. 한편 현재 대한민국의 국호에도 사용되는 한(韓)의 경우 몽골의 칸처럼 고조선의 왕을 부르는 하나의 명칭이자 국호의 별칭으로 보아야 한다. 당시에는 왕이 제사장 역할을 겸했고 신라의 이사금처럼 최고 직함이 유일하게 왕만 사용하였으므로 그 명칭을 국호처럼 부르기도 한다. 고로 조선과 한은 동일한 의미로 봐야 하는 것이다.

또한 위에서 언급한 진은 준왕이 남부로 내려가면서 한이 왔다고 백성들이 부르던 것이 변형되어 진으로 불리게 되었고 그것이 일종의 지명으로 굳어진 것으로 볼 수 있다. 나중에 등장하는 삼한도 이러한 영향을 받았다. 다만 진한 이외에 변한과 마한의 경우 '진'이라는 단어를 '진한'이 독점하자 독자성을 보이기 위해 '변'과 '마'라는 글자를 '한'에다 붙인 것으로 보아야 한다.

한민족 최초의 국가인 고조선이 멸망하고 열국시대가 열린 것을 살펴보면 고조선이 왕검성 전투를 통해 전한에 멸망당하고 한사군이 세워져서 식민 지배를 받았다는 서술을 일부 저서에서 볼 수 있다. 그러나 이것은 사실과 다르다. 진한에 의해 고조선이 멸망한 것은 사실이지만 고조선 전역을 완전히 통치하지 못하고 한사군을 설치한 일부 영토만 얻고 나머지 영역의 경우 지방 호족들이 군소 군가를 형성하게 된다. 즉 중앙정부가 일순간에 사라져서 지방정부가 별도의 국가를 이룬 것과 같다. 이 과정에서 부여, 동예, 옥저, 마한, 진한, 변한 등 여러 국가가 등장하고 이것이 다시 고구려, 백제, 신라의 3개 세력으로 정리되는 기간을 열국시대라고 일반적으로 칭한다. 또한 고구려와 백제의 경우 고조선을 가장 강하게 계승했다고 주장하는 부여의 직접적인 후신이지만 신라 역시 고조선의 권위를 입히고 준왕의 권위도 얻기 위해 서부여라고 부르기도 하였다.

그러므로 이러한 점에서 신라, 백제, 고구려 모두 고

조선의 계승국으로 볼 수 있다. 한편 가야의 경우 통일된 집단을 이루지 못하였고 백제의 전성기에는 백제의 종속국이 되었고 신라의 전성기에는 신라의 종속국이 되었으므로 사실상 백제와 신라의 연장선 중 하나로 보는 것이 옳다.

한편 대한제국의 멸망 시점을 고찰하면 일반적으로 대한제국에 멸망일에 대해서 1910년 8월 29일로 여겨지고 있다. 이는 한일병합조약에 따라 대한제국이 일본 제국에 흡수되었던 날이다. 그러나 이러한 견해는 몇 가지 문제점이 있다. 먼저, 한일병합조약은 대한제국 국새가 날인되지 않았으며 황제의 서명도 없는 조약이다. 이는 국제법적으로도 무효이다. 따라서 이 조약이 무효라면 대한제국의 멸망일은 대한민국 임시정부 수립일인 1919년 4월 11일이다.

비록 일제의 강제력으로 인해 행정권을 잃게 되었지만, 앞서 언급한 조약의 무효성을 고려하면 1910년 8월 29일 이후에도 대한제국과 황실은 여전히 존재한 셈이다. 한편 대한제국에서 대한민국으로 변화하는 과정은 1917년 대동단결선언에 따라 공화국 건설 제안이 공식적으로 제기되었다.

　이러한 제안이 3.1 운동을 통해 전국적으로 모든 백성이 암묵적으로 수용하며 주권이 황제에서 백성으로 이양되고 대한민국 건국으로 나아간 것이다. 그러므로 대한민국 임시정부가 수립되면서 대한민국이 건국되어 대한제국의 주권이 이양되었고 1948년 8월 15일에는 완전한 자주독립국으로서의 정식 정부가 수립된 것이다. 따라서 대한제국은 1919년 4월 11일까지 존속하였으며, 그 당시까지 순종 황제가 재위하고 있다고 보아야 하며 대한민국 임시정부의 수립과 함께 대한제국은 해산되고 주권을 이양한 것으로 여겨져야 한다. 그러므로 이러한 철학을 계승하고 한반도의 자주성을 반드시 지켜나가야 하는 것이 우리 시대의 임무이다. 그리고 이러한 역사적으로 고고히 흐르는 평화의 강물도 우리가 반드시 지키고 발전해야 한다.

8. 평화적 다문화 정착

21세기의 한국 사회는 저출생과 이민 증가로 다문화 사회로 진입할 것이 분명하다. 이러한 다문화 관련 사회 현상은 그 국적에 따라 한국인 중에서 외국 국적을 지닌 자와 외국인 중에서 한국 국적을 지닌 자로 분리하여 접근할 필요가 있다. 전자는 한민족으로 보고 후자는 한국 정체성을 가진 새로운 민족이자 국민으로 봐야 한다. 그리고 이는 매우 중요하다고 보인다.

전자의 경우 원래 한민족이라는 정체성이 있으므로 그러한 것을 강화시켜주면 된다. 고려인, 조선족, 일본 조선적, 미국 교포, 영국 교포 등을 다양한 형태로 지원해 주며 특히 중국의 연변 조선족자치주 내에서 조선족의 위상을 향상하는 데 도움이 필요하다. 해당 자치주 조선족이 거의 없는 돈화시를 일부러 중국 정부가 포함하여 물을 타고자 하는 의도가 있으므로 돈화시에 한류 확산을 통하여 한족이지만 한국에 호의적인 반응을 이끌고 조선족을 지원하도록 할 필요성이 있다.

후자를 살펴보면 대게 다문화 가정이다. 이들은 우선 한국 문화에 동화되도록 하면서 개별 국가의 정체성을 말고 하나의 다문화족이라는 정체성을 가져서 일종의 가상적 집단으로 그 정체성을 재구성해야 한다. 또한 다문화의 언어를 분석하여 하나의 방언 형태로 구성하도록 해서 내부적 동질감을 주어야 한다.

또한 주로 다문화는 동남아시아 출신이 많으므로 한국 아이돌 멤버 중 동남아시아 멤버가 태국, 베트남에 편중되어 있으므로 이를 미얀마, 싱가포르, 말레이시아, 인도네시아, 캄보디아, 라오스 등으로 확대하고 기왕이면 미국, 영국의 복수국적을 가진 멤버로 구성하는 방안을 구체화하여 신중히 고민해야 한다.

이를 통해서 한국은 유럽과 달리 다문화 문제나 사회적 갈등 혹은 폭력 사태를 미연에 방지하고 안정적인 정착과 한국의 단일화된 문화적 인식을 통해서 한국인의 정체성을 강화하고 불필요한 문화적 잔재를 털어낼 수 있도록 다방면의 지원과 사회적 도움이 필요하다. 따라서 이러한 다문화 사회가 평화적으로 정착해서 유럽과 같은 극단 사태가 나지 않기 위해서는 동화가 곧 평화이며 동화 없는 이민은 침략이자 반평화임을 알고 평화로운 다문화를 추구해야 한다.

한편 다문화를 보면 가장 중요한 인도학에 대해서 대학 교육 현황을 살펴보면 '위대한지도자와그들의선택'[2], '바이오헬스인문학'[3], '4차산업혁명과서비스경영2'[4], 문화예술과감각활용[5]이 인도학에서 가르치는 과목이므로 이러한 과목도 살펴보면 깊은 의의가 있다.

---

[2] 본 과목은 '인도개관'이라는 명칭을 사용하기도 한다. 이는 타 국가와 달리 인도는 특정 개인이 아닌 인도인 자체가 위대한 지도자처럼 집단적 선택을 하면서 하나의 민족성으로 작동한 것이 인도 사회를 구성하는 개관적 특징이기에 이러한 명칭을 포괄적으로 해서 사용하기도 한다.

[3] 본 과목은 '바이오헬스인문학'이라는 명칭을 사용하기도 한다. 이는 인도가 바이오헬스라는 말처럼 바이오적인 것의 중요성을 강조하고 그러한 점에서 소똥을 응용하는 등의 행위가 이색적이라 한국과 가장 다르므로 이러한 명칭을 포괄적으로 해서 사용하기도 한다.

[4] 본 과목은 '인도비즈니스입문'이라는 명칭을 사용하기도 한다. 이는 인도가 4차 산업혁명과 서비스경영을 선도하는 국가 중 하나로 미국과 함께 2강이기 때문에 이러한 명칭을 포괄적으로 사용하기도 한다.

[5] 본 과목은 '인도인은누구인가?'라는 명칭을 사용하기도 하며 학점 구성의 경우 2학점 혹은 3학점 수업으로 편성하지만 해당 과목의 특성상 학점 구성이 달라도 같은 과목과 학점을 이수한 것으로 간주한다. 또한 해당 과목에서는 인도가 얼마나 문화 예술이 사회의 통합적 구성으로 사용되는지도 다각면에서 고찰하면서 단순히 예술의 이해를 넘어 인도 사회를 통찰력 있게 바라본다. 이는 인도인하면 춤이 생각날 정도로 문화 예술의 감각 활용을 즐겨서 하기 때문에 예술이 단순한 예술의 성격을 넘어 사회 구성원을 하나로 묶고 규정한다. 고로 이러한 명칭을 포괄적으로 해서 사용하기도 한다.

제 11 장

아시아지역학을 통한

응용적 학문 교육 연구

1. 대학 학과의 다양한 구성

　현대가 열리면서 창의성이 중시되고 이러한 경향에 따라 개별 대학 교육이 변화하면서 다양한 교육 방법이 나오고 있다. 그중에서 대학 학과의 관념적 구성이 주목받고 있다. 이는 대학에서 학과가 설치되지 않거나 그 형태가 다르더라도 사실상 그 학과가 설치된 경우와 같거나 유사한 효과를 창조적이면서 융합적인 방향으로 올바르게 낼 수 있기 때문이다.

　특히 4차 산업혁명 시대에는 학문의 변화와 혁신이 상당히 빠르므로 학과 명칭을 그 속도에 맞춰서 자주 바꾸는 것은 사실상 불가능하다. 고로 새끼 고양이인 아깽이[6])처럼 창조적으로 활동해야 한다.

　그러므로 사실상 그 학과가 있는 것 같은 경우에 대

---

6) 새끼 고양이를 부르는 말로 영어 Kitten에 대응된다.

해서 열거하여 학과의 이름을 보는 것이 아니라 그 내면의 관념과 교육에 대해서 깊게 볼 수 있는 올바른 정보와 시각을 통해 그러한 학과를 바라보아야 할 필요성이 현시대에 강하게 제기되는 것이다. 그렇기에 물리적 학과를 넘어 창조적으로 융합되는 것이 중요하다.

2. 신소재공학부와 문헌정보학과의 재발견

국내에서 신소재공학부는 연구에 배타적이지 않고 다양한 공학적 접근을 통해 응용을 통한 과학적 발견을 추구하는 학부이다. 주로 화학공학, 생물공학, 산업공학, 에너지자원공학, 원자핵공학, 조선해양공학, 항공우주공학, 천문학, 지구시스템과학, 해양학, 대기과학, 지속가능기술학을 포괄적으로 다룸으로써 다양한 대상에 대한 제한 없는 탐구와 탐색을 모색하므로 사실상 위에서 언급한 모든 학과가 설치된 것과 다름없다고 할 수 있다. 고로 알파라이징적 융합이 실시된 학과이다.

한편 문헌정보학과라고 하면 일반적으로 기록학을 가르친다고 생각하지만, 한국에서 주로 설치된 문헌정보학과는 언어학을 중심으로 해서 종교학, 인류학, 지리학, 고고학을 포괄적으로 다룬다. 이는 문헌에 대해서 통섭적으로 다루고 그 정보를 획득하기 위해서는 다양한 언어적 접근을 넘어 학술적 접근도 필요하기 때문이며 이 과정에서는 개혁적 접근법을 사용한다.

또한 언어적으로 접근하게 되면 주로 희귀한 언어도 함께 가르치는 데 주로 스페인어, 포르투갈어, 네덜란드어, 이탈리아어, 폴란드어, 헝가리어, 그리스어, 라틴어, 세르보크로아트어, 스웨덴어, 핀란드어, 덴마크어, 노르웨이어, 르완다어, 암하라어, 힌디어, 베트남, 몽골어, 마인어, 미얀마어, 필리핀어, 터키어, 크메르어, 아랍어, 이란어를 가르친다. 아울러 해당 학과가 설치된 대학에 일어일문학과가 설치되지 않았을 때 일본어도 본 학과에서 가르치는 것이 일반적이다.

3. 미술학과와 융합생명공학과의 재발견

국내 여러 대학에서 미술대학이 아닌 일반 미술학과는 찾기 어렵다. 이는 미술학과가 미술의 전반에 대한 것을 포괄적으로 다룬다. 서양화, 동양화, 조소, 금속공예, 도자공예, 미학, 미술사학을 포괄적으로 바라보면서 입체적인 미술의 이해와 그 본질에 대한 바른 접근을 중심으로 하는 학과이다. 이러한 것은 결과적으로 창조적 융합과 혁신 그리고 통섭적 능력을 요한다.

또한 그 과정에서 다양한 접근 방식과 해석의 사용이 가능하다. 이는 마치 근래에 언어학이 발달하면서 영어 'ever'와 'robot'이 같은 뜻으로 상호 바꿔서 사용이 가능하며 한국에서도 로봇을 에버라고 부르는 등의 현상을 보면 그러하다. 이러한 예시를 살펴보면서 그것을 적용한다면 대학에 따라 설치된 상황과 방식은 다양하지만, 기본적으로 다양한 미술을 융합적이고 창조적이면서도 개인의 의지에 따라 자유롭게 다룬다고 해석할 수 있으며 그 과정에서 높은 창의성이 요구된다.

한편 또 하나의 찾기 어려운 학과인 융합생명공학과는 그 학과의 명칭에서 보듯 상당히 많은 부문의 융합을 추구한다. 특히 농업생명과학을 상당한 탐구 영역으로 삼아서 농업자원경제학, 지역정보학, 작물생명과학, 원예생명공학, 산업인력개발학, 산림환경학, 환경재료과학, 동물생명공학, 응용생명화학, 응용생물학, 생태조경학, 지역시스템공학, 바이오시스템공학, 바이오소재공학, 간호학, 수의학, 치의학, 한의학, 디지털헬스케어학, 융합데이터과학을 다루어 단순한 생명공학을 넘어 포괄적인 생명과학의 접근을 추구하는 학과이며 새로운 AI 시대의 융합적 의학을 선도하는 학과이기도 하다.

4. 사범대학과 음악대학의 관념적 설치 현황

국내 대학에서 일반적으로 사범대학이 설치되거나 일부 과목만 설치된 학교에서도 일반학과 혹은 연계전공을 통해 교직 이수를 하여 사실상 사범대학이 설치된 것과 다름없는 효과를 내는 경우가 많다. 이 과정에서 설사 해당 학과가 없다 하더라도 사실상 교직 이수를 할 수 있도록 하면 사범대학이 있는 것과 같게 바라보면 그 해석에 있어서 용이하다고 할 수 있다. 또한 교육학부가 있는 경우 그 해석에 있어 사범대학뿐만 아니라 특수교육과, 유아교육과, 초등교육과가 모두 설치된 것과 동일하게 보는 것이 옳으며 관련 연구도 상당히 수준급으로 하는 편이다.

그리고 국내에서 교육과나 통번역학과가 없는 특수외국어의 일반 특수외국어과는 그 학과가 사실상 해당 특수외국어의 교육과이자 통번역학과와 동일한 역할을 한다는 것을 알아야 하며 추후의 중등교육 교과목에 편입되면 즉시 교원자격증을 발급해야 정의롭다.

한편, 음악대학이 설치되지 않은 학교에서 음악 교육을 하는 경우 글로벌리더학부, 유학동양학과와 같이 사실상의 자율전공학부에 가까운 학과에서 담당하여 그 교육을 하는 경우가 많다. 이 과정에서 성악, 작곡, 관현악, 국악, 무용, 건반악기, 음악사학을 포괄적으로 가르치므로 그 경우 사실상 음악대학이 설치된 것과 다름없다고 할 수 있다. 한편 음악대학이 설치된 대학에서 한국음악과가 없더라도 대게 성악과에서 다룬다고 할 수 있으며 교양대학도 이러한 교육을 함께 한다.

5. 기초공학부와 생명시스템학부의 재발견

　일반적으로 국내 대학에서 기초공학부가 설치되었을 때 해당 학부에서 건축학, 건축도시시스템공학, 환경공학, 기후에너지시스템공학, 휴먼기계바이오공학, 인공지능학을 비롯하여 다양한 공학을 포괄적으로 다룬다.

　따라서 기초공학부는 거의 모든 공학의 대상을 다루기에 사실상 통합공학부라고 불려도 손색이 없을 정도이며 기초공학부에서 하는 공학 교육이 올바르게 이루어진다면 그 대학에서는 바른 공학도의 양성과 공학 연구가 창의적이면서도 실용적으로 이루어지고 있다는 점을 다시 한번 알 수 있는 셈이다.

　한편, 생명시스템학부에서7)는 기본적으로 생명과학 이외에도 의학, 간호학, 뇌인지과학, 한의학, 치의학을

---

7) 제약공학과, 스마트헬스케어학부 등의 명칭을 사용하기도 한다.

포괄적으로 다룬다. 그러므로 사실상 이 학부 출신은 의학전문대학원을 비롯하여 한의학전문대학원, 수의학전문대학원, 치의학전문대학원에 진학하는 경우가 많아 사실상의 의대 예과로 불리는 정도로 의학에 관한 연구 및 교육 수준이 상당하다고도 할 수 있다. 아울러 이를 확장해 보면 의과대학이 국내에는 설치되지 않은 대학이 상당한 수준의 의학과 메디컬 연구 능력이 있고 프리메드 교육을 체계적으로 하며 졸업생을 의학전문대학원에 대거 진학시키면 사실상 가상적 의과대학이 있는 것과 거의 같이 봐야 한다고도 해석할 수 있다.

6. 인문학과 앙트러프러너십

　국내 대학에서 앙트러프러너십 전공이 설치된 학부는 해당 전공에서 사실상 철학, 종교학, 인류학을 전인격적으로 가르친다. 따라서 해당 학부를 철학과, 종교학과, 인류학과로 볼 수 있다. 이는 해당 전공이 철학과 인류학을 기반으로 한 것이기 때문이다. 이는 인문학을 특정 학문으로 나누지 않고 통섭적으로 가르치려는 목적이 강하며 그렇게 해야 학생들에게 하나의 융합적 학문 성장에 큰 기여를 시킬 수 있기 때문이다.

　한편 비슷한 경우로 교직 과정이 있는 행정학과의 경우 사실상 그 학과가 사회학과이기도 한 것으로 보는 것이 일반적이다. 이외에 예술학과는 미학과로 보는 것에서 문과 관련 대학 학과의 상황에 대해서도 부수적으로 함께 융합하여 살펴볼 수 있기에 올바르다.

또한 복지행정과의 경우 대게 일반적인 인문대학과 사회과학대학의 기초적 교육을 하며 인문학이 강한 대학에 철학과가 설치되어 있고 별도로 유학동양학과가 존재하는 경우 거기에서 검도학, 칠예학, 민속학, 정치철학, 법철학, 사회철학, 논리학, 고전학8), 바둑학, 여성학, 종교학9) 등을 포괄적으로 가르치기도 하며 유학에 편중되지 않고 고르게 보려는 경향성을 보인다.

이외에도 인도와 태국이 영국의 영향력이 매우 강하다는 것을 연구한 것과 조선 성균관이 남양과 동남아시아 연구가 세계적인 수준이었다는 대해 발견한 것도 이러한 것의 학술적 성과라고 덧붙일 수 있다.

---

8) 그리스와 로마 고전이며 이슬람권 고전도 포함한다.
9) 보통 종교학으로 표기하나 사실상 기독교, 유대교 등 서양 종교와 관련한 신학 교육을 한다. 다만 미션스쿨이 아니므로 객관적인 입장에서 가르친다.

7. 경영학으로 보는 아시아지역학

　일상에서 사전을 펼쳐서 '지역'이라는 단어를 찾아보면 '전체 사회를 어떤 특징으로 나눈 일정한 공간 영역'이라는 의미를 알 수 있으며 '경영'이라는 단어를 찾아보면 '기초를 닦고 계획을 세워 어떤 일을 해 나감'이라는 의미인 것을 알 수 있다.

　그러므로 이미 '지역'이라는 말에는 간접적으로 '경영'이라는 의미를 내포하고 있다고 할 수 있다. 이는 사회를 어떠한 특징으로 나누고자 한다면 그 사회는 이미 어떠한 경영적 활동의 일환이고 그것이 구분되는 행위 자체가 경영적 행위가 된다. 고로 '아시아지역학'은 사실상 '아시아경영학'이라고 불러도 무방한 것이며 '지역학'이라는 단어는 그 앞에 붙은 단어에 의해서 '경영학'과 같은 의미로 되게 되는 것이다.

　우리가 다루는 아시아지역학이 경영학의 도움으로 탄생하

고 일각에서는 경영학의 한 하위 학문으로 보기도 한다는 것은 공공연한 사실이다. 그리므로 기본적으로 아시아지역학과 경영학의 상호 연관성에 대해서 살펴볼 필요가 있으며 이를 과학적 방법에 따라 규명해 보면 학술적 발전에도 도움이 될 것이다.

먼저 학교 현장에 대해서 살펴보면 대게 아시아지역학이 국내에서 별도의 학과로 직접 개설된 예는 없지만 연계전공으로 개설된 경우가 많으며 일반적으로 경영학부 산하의 전공으로 취급받는 경우가 많다. 또한 편입생의 경우 학점은행제나 독학학위제의 경우 경영학을 전공해서 아시아지역학으로 편입하면 사실상 동일한 전공으로 인식되어 그 학위는 없는 것으로 보는 경우도 일반적으로는 많은 편이다. 이는 동일한 학위의 재취득을 국제적으로 일반적이지 않게 보기 때문이다.

이외에 과목을 구체적으로 살펴보면 대게 '회계학원론', '경영경제수학', '경영과컴퓨터', '경제학원론', '경영학원론', '경영통계학'을 기초 이수과목으로 정하며 이들 과목과 내용이 유사한 과목으로 '위대한지도자들과그들의선택', '문화예술과감각활용', '바이오헬스인문학', '4차산업혁명과서비스경영'이 있으며 이들 과목은 대개 경영학 과목과 내용이 동일하다. 또한 자유로 분류된 과목은 제2전공 과목과 교양 과목을 동시에 인정하는 과목으로 본다. 그리고 이들 과목은 명칭은 다르지만, 기본적으로 경영학을 다루고 이해시키는 과목이다. 그러기에 이런 부분을 살펴보면서 인지해야 하며 '스타트업토크콘서트'도 경영학 과목이면서 아시아지역학과 연관성이 강한 과목임을 인지해야 한다.

이외에 학위 표기 방식에 대해서 살펴보면 '문학사', '이학사'와 같은 명칭이 아니라 전공한 학문인 '정치학', '철학'과 같은 것을 중심으로 '정치학 학사', '철학 학사'로 표기하는 것이 옳으며 이것이 국제적으로 바른 표기법이다.

또한 아시아지역학은 벤처창업융합전공과 거의 같은 전공으로 보며 그 학위 성질인 창업학사와 아시아지역학사는 같은 겉으로 보는 것이 통례다.

이외에도 용인 지역에서는 '중국문명사와전통문화', '중국어권문화', '삶의철학중국어강독', '중국통상및시사'가 관내 대학에서 과목으로 활발하게 교육되고 있다.

8. 아시아지역학의 대학 교육 현황과 미래

    국내 대학에서 아시아지역학을 학과로 설치하거나 연계전공(특정 학부의 사실상의 하위 전공과 같다고 봄)으로 교육하는 경우 그 방식은 경영학과와 사실상 동일하게 하는 것이 학문적 일치성 차원에서 좋으며 실제 현장에서도 그렇게 운영되고 있음을 알 수 있다. 이외에 아시아지역학은 대학에서 경영학사로 수여하고 신학문이라는 명칭을 살려서 아시아지역학사로 수여해도 경영학사로 보는 관행으로 인해 일반적으로 대학에서 아시아지역학 교육은 상경관10)에서 이루어진다.

    특히 국제적으로 아시아지역학 관련 학위는 MBA11),

---

10) 통상 경영학과의 학부 및 대학원 수업이 이루어지는 건물과 같은 건물을 공유하며 관련 행정 처리 및 시스템 운영 그리고 학과 행사 참여도 일치되어 운영된다. 이는 앞서 설명한 학과의 관념적 설치의 소규모 부문으로 경영학과(경영학부) 내에 하나의 전공처럼 구성되는 것으로 인식되는 것이 일반적이며 아시아지역학사로 수여하는 대학의 경우 그 대학의 경영학과 자체가 독창성이 높은 편이며 실험적 시도를 하기에 그러하지 그 학위는 경영학사로 본다.

MPP12), PPE13)와 동일한 것으로 인식되므로 경영학과의 연관성이 상당하며 국제적인 평판도 해당 학교의 경영학과 수준과 연동되는 경우가 대다수다.

또한 졸업 요건에서 대게 경영학과가 자격증은 주로 TESAT14), 매경TEST15), SMAT16)을 필수적으로 요구하므로 이를 고려해서 추가하는 것이 좋은 편이다. 이 외에도 아시아지역학 이수 학생을 경영학과 동문으로 취급하는 것이 상식적이라고 덧붙일 수 있다. 따라서 아시아지역학이 실제 대학 현장에서 경영학과 높은 일치성을 가지는 것을 알 수 있으므로 상호 간의 깊은 소통과 교류를 더욱 강화해야 하며 그것이 경영학의 확장과 성장에도 큰 도움이 될 것이다.

---

11) Master of Business Administration
12) Master of Public Policy, 정책학은 공공부문과 사적부문 상관 없이 경영학과 거의 한 몸이기 때문에 국제적으로 이렇게 보기도 한다.
13) Philosophy, Politics and Economics로 한국에서는 정치경제철학으로 번역한다. 해당 전공은 영국 최고의 학부 전공으로 보며 명문가에서 주로 취득한다. 해당 전공은 직접 경영학과는 상관이 적지만 구성하는 3개 학문이 경영학의 기반이 되고 연관이 짙은 학문이며 아시아지역학이 학술적으로 융합성이 강하고 국제적으로 우수한 인정을 받기에 이렇게 칭한다. 한편 케임브릿지 대학의 HSPS(Human, Social and Political Science)나 미국 일부 대학이 제공하는 PPEL(Philosophy, Politics, Economics and Law)도 아시아지역학 학사와 동일하게 보며 학술적 구조와 위상 그리고 지위에 대해서도 동일하게 인정한다.
14) Test of Economic Sense And Thinking
15) Master of Business Administration
16) Master of Business Administration

제 12 장

메가 서울의 과거와 미래

1. 더욱 커진 서울

21세기에 사는 우리가 서울이라고 하면 서울특별시를 떠올린다. 하지만 대개 런던이라고 하면 시티 오브 런던과 그레이터 런던을 모두 포함하여 생각한다. 이는 서울의 영역을 협소하게 생각하는 것이며 식민 지배의 잔재이다. 서울을 단순히 서울특별시의 행정 경계 안으로 생각하는 것은 몹시 편협한 사고이며 지구촌 1일 생활권 시대를 사는 것에 큰 독약이 된다. 고로 서울의 범위는 문화적 영역으로 결정해야 하며 근교의 도시는 모두 서울이라고 할 수 있다. 특히 문화적 확장으로 인한 분당, 죽전, 기흥은 서울 내부보다 더 서울이며 서울의 가장 부촌인 강남은 오히려 이들 지역이 더 가깝다. 특히 죽전은 용산구와 흡사한 완전한 서울이다.

그러므로 서울의 문화적 확장으로 용인, 부천, 광명, 안양, 성남, 수원 등은 서울 생활권, 문화권을 넘어 사실상 서울 그 자체이다. 아울러 천안, 아산, 당진, 세종, 대전, 청주, 충주, 진천, 제천, 음성, 태안, 서산, 증평도 서울이랑 생각보다 가까우며 광역 서울권 안에 속해있다. 이를 잘 드러내는 말이 수도권을 뛰어넘은 수청권이다.

그러므로 우선은 수청권의 안정화를 위해 당진시까지 수도권 전철 서해선의 연장도 고려해야 하며 3기 지하철 계획을 부활하여 대체 노선에 숫자 명칭을 붙여야 한다. 또한 이러한 수청권의 역할을 잘 수행하고 신수도권의 선봉에 있는 것이 천안에 있는 단국대학교병원이다. 단대 병원은 오히려 서울, 경기 환자가 더 많은 중부권의 대표 병원이며 서울에서도 환자들이 줄을 서서 내려가는 병원이다. 이는 서울 소재 종합병원보다 우수하고 실력이 상당하기 때문이다.

이러한 점은 영국의 윈저가 윈저성이 위치하여 왕실과 영연방의 중심으로 인정받고 사실상의 일본의 교토처럼 정신적 수도이자 하나의 중심으로 여겨지는 것도 참고할 수 있다.

이처럼 서울의 문화적 확장은 새로운 패러다임의 변화를 불러온다. 인서울 대학의 경계가 허물어져서 인천, 경기도 소재 대학도 인서울에 포함되고 오히려 입결이 높은 경우가 흔하다. 그렇기에 우리는 서울의 문화적 확장을 바라보고 선진국의 사례에서 확장 서울을 개념을 인식하여 서울을 편협하게 보고 인식하는 황국 신민적 오류를 범하지 말아야 하며 토착왜구라고 불리는 식민 잔재를 청산하고 더 큰 서울을 바라보아야 한다.

2. 서울올림픽과 함께 보는 한국 올림픽사

1988년 서울올림픽은 한국인에게 올림픽하면 서울이 생각나게 만드는 것이다. 이러한 서울올림픽을 통해서 한국 올림픽사를 살펴보면 그 고된 진출의 역사를 먼저 보아야 한다. 지난 1952년 오슬로 올림픽은 남한과 북한 모두 전쟁으로 인해 선수를 직접 출전시키지는 못했다. 그러나 당시 일본 선수단으로 출전한 선수 중 홋카이도 출신의 선수들은 간접적으로 조선(한국) 혈통을 일부 계승하고 있는 선수들이라고 다양성 관점에서 혁신적으로 살펴보면 창조적인 관점에서 그리 볼 수 있다.

이는 홋카이도의 경우 외지로써 한반도에서 이주를 많이 했고 또한 설상 종목 선수들은 전통적인 아이누 문화를 계승하고 있는 경향이 있고 그러한 아이누 문화의 원류는 한반도 문화이므로 이들은 올림픽 무대에서 간접적으로 한반도의 문화적 모습을 선보인 것이므로 한국이 간접적으로 올림픽에 출전한 것과 다름이 없다.

이와 유사한 사례로 1936년 베를린 올림픽 마라톤 경기에서 손기정 선수가 금메달을 받고 남승룡 선수가 동메달을 받았다. 은메

달은 영국의 어니 하퍼(Ernie Harper) 선수가 받았는데 본래 이 경기에 유력한 우승 후보는 아르헨티나의 후안 카를로스 사발라(Juan Carlos Zabala)였는데 마라톤 경기 도중 선두를 달리고 있는 사발라를 보고 다급해진 손기정이 무리하게 달려 나가려고 했다. 그때 뒤에서 같이 달리던 하퍼가 손기정에게 그 선수는 금방 지치니 무리해서 달리지 말고 스퍼트를 유지하라고 했다. 이는 인종과 국경을 넘은 아름다운 스포츠맨십이자 평화의 상징이다.

그러나 하퍼 선수 집안의 조상 내력과 역사를 조사해 보니 조선과 연관성이 있음이 알려지고 그러한 조언을 한 것도 무의식적으로 같은 조선인에게 동질감을 느낀 것으로 보이므로 문화적으로 그도 같은 조선인(한국인)이라고 할 수 있으므로 사실상 명예 조선인이다. 따라서 그 경기는 문화적 측면에서는 금, 은, 동메달을 모두 조선인이 딴 것과 진배없는 것으로 해석할 수도 있다.

한편, 태권도는 1988년 서울 올림픽 이후 계속 올림픽 종목에 포함되었으나 1996년 애틀랜타 올림픽에서 한 번 제외된 적이 있었다. 이 당시 국제 여론은 제3세계 국가도 올림픽 메달을 딸 수 있다는 희망을 주는 종목인 태권도를 올림픽에서 제외한 것에 상당한 분노를 표했으며 선진국의 갑질이라고 표하기도 했다. 이에 애틀랜타 현지에서 올림픽 동안 태권도가 올림픽 종목이 아님에도 태권도가 대중에게 알려졌으며 일부 유도 선수가 올림픽 대회에서 태권도 기술을 응용하여 선보이고 당시 남한과 북한의 유도 선수가 태권도의 정신을 이용하여 선전하는 등 사실상 유도라는 형식을 통해 태권도를 올림픽에 간접적으로 선보일 정도였다.

또한 이후 올림픽에서 태권도가 빠진 스포츠계의 아쉬움으로 이듬해 치러진 1997년 세계 태권도 선수권 대회는 올림픽에 버금가는 주목을 받았으며 이후 올림픽부터 태권도는 다시 종목에 포함되어 현재까지 굳건히 그 위상을 세웠다. 그러므로 이러한 태권도의 위상에는 서울올림픽이 그 시초임도 알아야 하며 태권도가 평화의 상징으로 세계 무대를 누비는 것을, 아시아지역학을 통해서 바라보며 평화의 미래를 만나볼 수도 있고 무술을 통한 올바는 형태의 좋은 평화도 알 수 있다.

3. 정도 630년 서울과 고조선

　정도 630년이 된 서울과 함께 고조선을 평화적인 관점에서 창조적으로 바라보면 고조선은 기원전 2333년에 아사달에 도읍을 지어 생긴 한민족의 첫 국가임을 알 수 있다. 고조선의 서울인 아사달의 위치는 정확히 알 수는 없지만 만주 일대의 한 지역으로 추정하고 있다. 국호는 조선으로 하였으나 후대 이성계에 의해 건국된 조선과 구분하고자 고조선이라고 부르고 있다. 또한 군주의 명칭은 단군이라고 불렀다.

　초대 단군인 왕검은 93년의 재임을 하였다고 알려졌다. 웅녀라고 불린 여인과 혼인하였고 현재의 헌법과 같은 역할을 하는 기본법인 8조법을 제정 및 반포했다.

　이후 2대 단군 부루는 58년 재임을 했다. 왕검의 뒤를 이어 재임하면서 국가의 기반을 세우고 국경을 정비했으며 도량형을 통일하고 세금을 정하였다. 3대 단군 가륵은 45년의 재임을 했으며 4대 단군 오사구는 38년을 재임했다.

　5대 단군 구을은 16년 재임을 했으며 6대 단군 달문은 36년 재임을 했다. 그리고 7대 단군 한율은 54년 재임을 했고 8대 단군 우서한은 8년 재임했다. 이어 9대 단군 아술은 35년 재임을 했는데 구월산 남쪽 기슭에 새 궁전을 지었다고 전해진다. 10대 단군 노을은 59년 재임을 했고 11대 단군 도해는 57년 재임을 했으며 12대 단군 아하는 52년 재임했다.

13대 단군 흘달은 61년 재임했고 넓어진 국토를 관리하기 위해 주와 현을 세웠다. 14대 단군 고블은 60년 재임했고 하늘의 기우제를 지내고 첫 호구 조사를 했다. 이어 15대 단군 대음은 51년 재임했고 16대 단군 위나는 58년 재임했으며 17대 단군 여을은 68년 재임을 했고 18대 단군 동엄은 49년 재임했다.

19대 단군 구모소는 55년 재임했고 20대 단군 고홀은 43년 재임했으며 21대 단군 소태는 52년 재임했는데 이 시기에 상나라의 침공으로 전쟁하여 승리했다는 기록이 후대에 전해진다. 그리고 22대 단군 색불루는 48년 재임했고 이 시기에 상나라의 수도를 침공하여 함락했다는 기록이 전해진다. 23대 단군 아홀은 76년 재임했고 24대 단군 연나는 11년을 재임했다.

25대 단군 솔나는 88년 재임했는데 중국에서는 기자라고 부르기도 했다. 이것이 후대에 기자조선으로 날조된 것으로 단군 솔나를 기자로 불린 것 이외에는 날조된 사실이다. 이어 26대 단군 추로는 65년을 재임했고 27대 단군 두밀은 26년 재임했다. 28대 단군 해모는 28년을 재임했고 29대 단군 마휴는 34년 재임했다. 30대 단군 내휴는 35년을 재임하였는데 상나라가 망하고 생긴 주나라와 수교를 했으며 31대 단군 등올은 25년을 재임했다. 32대 단군 추밀은 30년 재임했고 33대 단군 감물은 24년을 재임했다. 34대 단군 오루문은 23년 재임했고 35대 단군 사벌은 68년을 재임했다. 36대 단군은 58년 재임했고 37대 단군 마물은 56년을 재임했다. 38대 단군 다물은 45년 재임했고 39대 단군 두홀은 36년을 재임했다. 40대 단군 달음은 18년을 재임했고 41대 단군 음차는 20년 재임했다.

42대 단군 을우지는 10년을 재임했고 43대 단군 물리는 36년을 재임했다. 이어 44대 단군 구물은 29년을 재임했고 45대 단군 여루는 55년 재임했다. 46대 단군 보을은 46년을 재임했고 47대 단군 고열가는 58년 재임했다. 48대 단군 부는 20년을 재임했다.

49대 단군 준이 16년을 재위했는데 당시 동생이던 위만은 중국과 교류를 하면서 적극적으로 활동했다. 이에 준이 왕권을 보호하기 위해 국경 근처로 발령했으나 그 지역에서 세력을 모아 반란을 일으켜서 왕검성을 정복했다고 전해진다. 이후 위만이 단군에 즉위하고 준은 한반도 남부로 귀양을 가게 된다.

제50대 단군 위만은 35년 재임했고 준을 따르는 여러 세력의 반란과 내분에 상당히 어지러운 국정이 이어졌다. 이후 제51대 단군 고해사가 39년 재임했고 제52대 단군 우거가 20년 재임했는데 이 과정에서 위만의 반란 이후 나라의 혼란과 지방 호족의 융성으로 인해 나라가 내분이 일어났고 한나라의 침공으로 왕검성이 함락되어 고조선은 멸망했다.

그러나 한나라는 고조선 영토 전역을 흡수할 정치적 능력이 부재했기에 일부 영토를 빼앗은 수준이었고 중앙의 왕조가 사라지니 지방의 호족은 제각기 국가를 선포했다. 특히 가장 먼저 선포된 곳은 한나라의 영향이 덜했던 한반도 남부의 삼한으로 이는 단군 준의 세력이 남부로 귀양가면서 단군이라는 명칭이 변형되면서 한으로 변해서 전해졌고 이러한 고조선 국통의 적통 계승자라는 의미에서 각자 호족 세력들이 마치 유럽에서 여러 국가들이 로마를 칭하듯 그 명칭을 차용하여 마한, 진한, 변한이 건국되었다.

또한 이러한 과정에서 고조선과 그 후신 국가들은 몽골족의 선조들과 많은 접촉을 하면서 한국과 몽골의 첫 교류가 시작되었다. 이는 현재에도 이어지고 있으며 특히 역사적으로 호서 지방(충청도)이 몽골과 가장 깊은 교류를 했으며 이는 충청도가 경기도와 전라도, 경상도를 연결하는 길목에 위치하기 때문이다. 그중에서도 천안의 경우 충청도와 경기도를 이어주는 징검다리 역할을 하는 도시이므로 몽골과의 상호 역사성은 상당하다.

또한 이는 현재에도 국내 몽골인이 가장 많이 거주하는 지역이 충청도이며 몽골의 제2도시인 에르데네트에 충청도 사람 비율이 상당히 높은 것을 알 수 있다. 이외에 충청도 사람 비율이 상당히 높은 용인도 몽골과의 관계가 간접적으로 많은 것도 그러하다. 아울러 천안의 경우 몽골과 과거로부터 교류하고 있으며 몽골의 한 공주가 천안에 와서 정착하였다는 설화가 있을 정도로 천안을 중심으로 충청도 전역의 민간 설화에서 몽골의 영향을 살펴볼 수 있는 셈이며 이는 고조선과 그 후신 국가들의 상당히 국제적 교류의 중심에 있었다는 점을 깊게 알려주므로 이를 확인해야 한다.

이외에 부여, 동예, 옥저가 만주와 한반도 북부에서 건국되었고,

중국과 교류가 잦았던 낙랑도 한반도 북부에 건국되었다. 이러한 시기는 열국시대이며 이후 고구려, 백제, 신라로 세력이 정리되는 삼국시대로 접어든다. 변한은 가야로 그 국호와 형태를 바꾸어서 지속되었지만, 백제가 강성할 때는 호남 및 충청에 치중하면서 사실상 백제의 제후국이 되고 신라가 강성할 때는 신라의 제후국이 되어 사국시대로는 보지 않는다.

이후 신라에 의한 삼국 통일과 고구려 유민이 발해는 건국하는 남북국시대가 이어지고 신라에서 후고구려와 후백제가 분리되는 발해·후삼국시대가 열린다. 뒤이어 후고구려에서 반란을 일으킨 왕건에 의해 고려가 건국되고 후백제와 신라를 통일하고 발해 유민을 흡수하고 발해 계승을 표방하면서 고려시대가 개국된다. 이후에는 조선시대, 대한제국시대, 일제강점시대, 남북분단시대로 하여 지금의 남북 분단의 상황으로 이어진다. 고로 이러한 아사달의 정신은 서울이 수도가 되어서 직통으로 이어받은 것과 같으므로 그 정통성이 있다. 그렇기에 이러한 단군의 평화 정신은 서울이 이어가고 있으며 국내에서는 동학 철학의 모습을 보이는 도시이다.

4. 서울과 함께 보는 군사 정권

박정희 정권과 전두환 정권은 동일한 군사 정권이지만 그 특성이 사뭇 다르다. 일례로 박정희 정권은 유신헌법으로 선출된 2회의 대통령 선거를 제외하면 3회의 선거는 모두 직선제로 치러졌으며 유신헌법에 의한 대통령 선거도 제8대 대선의 경우 유신헌법 제정 국민 투표를 직선으로 했고 제9대 대선의 경우 유신 체제 및 신임 투표를 직선으로 했기에 사실상 두 대선은 형식적인 직선제 선거로 치러진 것과 다름이 없다.

그러나 전두환 정권은 두 차례 대선 모두 간선제로 실시되었으며 12대 대선은 선거인단에 의한 간선제이지만 선거인단에 형식적인 야당 참여만 보장하여 직선제성이 약하고 제5공화국 헌법 국민투표도 국민이 원한 제6공화국 헌법 국민투표를 제외하면 역대 국민투표 중에서 반대표가 가장 많기에 정상적인 국민투표로 보기 어렵다. 따라서 이러한 두 정권을 비교하면 그나마 박정희 정권이 정당성이 좀 더 높다고 할 수 있는 셈이다.

5. 한국 역대 정권의 정당성 고찰

한국에서 민주화 이후 탄핵이나 급변과 같은 사태가 발생한 정권이 존재한다. 이러한 정권의 정당성은 다소 상실되는 경우가 많다. 이 과점에서 그 정당성에 대해서 고찰하고자 한다.

먼저 노태우 정권의 경우 노태우 대통령이 형사 처벌을 퇴임 이후에 받았다. 또한 사실상의 친위 쿠데타인 청명 계획을 기획한 바가 있으며 그 시기의 경제 정책이 추후의 IMF 외환위기를 불러일으킨 점에서 비판점이 상당하다. 또한 13대 대통령 선거의 경우 자유민주연합의 김종필 후보가 충북과 강원 지역에서 이겨야 함에도 노태우 후보가 표가 더 많이 나왔다는 점은 선거의 공정성을 의심하게 할 수밖에 없다.

이러한 점에서 노태우 정부의 정통성은 상당히 조각된 편이며 사실상 문민정부로 보기 어려운 구석도 있으므로 이 정부가 완전한 민주 정부라고 보기 어렵다. 따라서 민주 정부는 김영삼 정부부터라고 보는 것이 옳다.

이명박 정부의 경우 기본적으로 이명박 대통령이 퇴임 이후 형사 처벌받은 것과 그 판결문을 고려해 볼 때 사실상 후임자인 박근혜 대통령이 탄핵당한 것과 동일하게 사실상의 탄핵 당한 대통령을 보아야 한다. 서울대도 총학생회장이 임기 이후에 명예 탄핵을 한 것처럼 이명박 대통령도 명예 탄핵된 것으로 사실상 그 정치적 해석을 해야 한다.

그 5년 동안 민주주의 후퇴도 심각하지만 2008년 촛불시위 당시의 정국을 돌이켜보면 그 시기에는 사실상 이명박 대통령이 직무 정지되고 한승수 국무총리가 그 권한을 대행할 정도로 사실상의 국정을 이끄는 수준으로 정권의 정당성이 박탈된 정도이다. 이 기간은 2008년 5월 2일부터 8월 15일까지로 봐야 하며 사실상의 집권 정당성이 박살 난 기간이다.

이 외에도 노무현 대통령의 탄핵은 전적으로 무효이며 사실상 국회에 의한 쿠데타인데 이를 주도한 것도 이명박 당시 서울시장이고 노무현 대통령의 서거와 그 과정에서 발생하는 문제에 대해서도 이명박 대통령이 전적으로 정치적 책임이 크며 이러한 부분도 집권 정당성을 약화하는 여러 요인이다.

이 외에도 국가정보원에 의한 민간인 사찰 문제나 집권 과정에서의 비민주성은 당시 정치적 상황으로 탄핵당하지 않았을 뿐 실질적으로 이후 형사처벌이나 여러 평가를 종합해 보면 이명박 대통령은 사실상의 탄핵 당한 대통령으로 봐야 한다.

6. 대학 내외의 학술 가치의 고찰

한국 대학에서 학술적 운용과 그 고찰을 하고자 하면 우리 연구회의 주요한 학술 대상인 아시아지역학을 중심으로 그것을 서술하고자한다. 먼저 아시아지역학은 인도와 밀접한 연관성을 보인다. 대개 힌디어를 할 수 있는 연구자가 많은 편이다. 이 외에도 경영학이 정당학과 지역학을 다루는 만큼 아시아지역학에서도 정당학과 지역학을경영적으로 다루는 경우가 많다.

근래 대학에서는 학부 강의가 대학원 강의로 호환되는 경우가 많고 총학생회 운영에 있어 이원화캠퍼스로 운영하는 대학의 경우 타캠퍼스에서 복수전공을 하면 그 캠퍼스 총학생회 교류 회원으로 인정하여 총학생회 투표권을 준다.

이 밖에도 연구회가 대학과 교류하면서 발견한 것은 카리브 연합에 영국의 영향력이 강하고 국제문화연구학과 아시아지역학에서 인도의 영향력이 강한 것을 발견한 것도 있다. 이 외에도 유한책임회사의 경우 이사회를 구성하면 사실상 그 이사는 주식회사의 등기 이사와 같은 권한과 효력을 가진다고 해석해야 함이 옳다는 것도 연구의올바른 성과이자 결과물이다.

6. 원더걸스 '아이러니'의 민중가요화

대게 집회에서 민중가요를 부르는 것은 일반적이다. 이러한 민중
가요는 대중가요와 달리 가수와 작곡가가 같은 경우도 많으며 대중
가요를 부르면서 민중가요를 부르는 가수는 거의 없는 편이다. 이는
그 목적이 상호 다르기 때문이다.

하지만 박근혜 탄핵 시위에서 아이러니한 시국을 풍자하기 위해서
원더걸스 '아이러니'가 제창되고 나서는 해당 곡이 여러 집회에서
주로 불리고 특히 MZ 세대를 중심으로 하는 젊은 집회에서는 하나
의 상징으로 자주 제창되었다.

이는 대중가요가 민중가요로 사용된 것이며 상당히 이례적인 사례
이다. 원더걸스 아이러니의 가사를 살펴보면 상당히 풍자적, 해학적
성격이 있으므로 그렇게 변모해서 사용할 수 있음도 알 수 있다.

이러한 점에서 한류의 시초 중 하나인 원더걸스가 상당히 입체적
이고 고도의 예술성을 가지면서도 역사적 발자취를 남기고 있다는
점에서 그 가수의 수준이 상당하므로 이러한 것도 될 수 있다는 점
도 동시에 살펴볼 수 있는 셈이다.

7. 서울과 함께 보는 태권도 폄하 반박

서울과 함께 태권도를 바라보면 태권도는 한민족 고유 무술의 현대적 결합이자 평화의 상징이다. 하지만 일각에서 태권도가 가라테에서 기원하였다는 황당한 주장을 하는 경우가 있다. 아마 일본의 식민사관에 기인한 것이 스포츠에도 영향을 준 것으로 안타까운 점이다. 상식적으로 태권도가 가라테 짝퉁이라면 올림픽 종목에 가라테가 되지 태권도가 될 이유가 없으며 일본 선수가 태권도에서 거의 보이지 않는 이유도 설명이 되지 않는 점에서 허위라는 것이 금방 드러난다.

자랑스러운 태권도는 한국의 전통 무술을 집약하는 과정에서 탄생한 것으로 가라테와는 별로 상관이 없다. 원래 가라테가 한국 무술에 영향을 많이 받았으므로 그것을 가지고 태권도는 가라테에서 기원하였다는 논리를 피지만 이것도 어불성설이며 가라테 짝퉁이라고 주장하는 근거는 없이 주장만 앵무새처럼 반복한다. 이들은 논리가 없으며 거의 광인에 가까울 정도로 주장하여 일부 무식한 사람들은 이걸 정설로 받아드리지만, 위에서 언급한 것처럼 아무 근거가 없다.

세계인이 사랑하는 태권도는 한국의 오랜 전통에서 기인한 역사적 전통 무술의 현대적 재구성이며 실전성이 있는 무술이다. 고로 태권도가 가라테에서 기인했다는 것은 세계 모든 태권도 선수에 대한 모욕이자 제3세계 국가에서 희망의 등불이 되는 태권도를 깎아내리려는 음흉한 공작이자 신제국주의적 파시즘의 발흥이므로 이들에게는 무시를 넘어 강경한 대응을 해야 한다. 이는 한민족 무시를 넘어 평화의 무술인 태권도의 부정이자 태권도를 사랑하고 태권도 수련이 그들에게 큰 희망이 되는 제3세계 스포츠인에 대한 지독한 차별에 기인하기 때문이다.

제7공화국 헌법 제안

I. 전문

우리는 3·1운동으로 건립된 대한민국임시정부의 법통과 불의에 항거한 4·19혁명, 부마민주항쟁과 5·18민주화운동, 6·10민주항쟁의 민주이념을 계승하고, 법치주의와 공화주의에 기반한 자유롭고 평등한 민주사회의 실현을 기본 사명으로 삼아, 정의에 기초한 평화롭고 안전한 국가를 지향하며, 모든 사람의 존엄과 자유를 최우선으로 보호하며, 인류애와 생명 존중으로 행복한 공존을 추구하고, 세계 평화에 이바지할 것을 다짐하고, 자율과 조화를 바탕으로 사회정의와 자치·분권을 실현하고, 인간 존중을 사회생활 전반에서 실천하고, 지구생태계와 자연환경의 보호에 힘쓰며, 모든 분야에서 지속가능한 발전을 추구하고, 노동의 존엄성을 인식하며, 기회균등의 원리로 복지국가로 나아가고, 미래세 대에 대한 우리의 책임을 인식하며, 상호 연대하고 더불어사는 세상을 위해 앞으로 나갈 것을 다짐하면서 1948년 7월 12일에 제정되고 10차에 걸쳐 개정된 헌법을 이제 국회의 의결을 거쳐 국민투표에 의하여 개정한다.

II. 본문

제1장 총강

제1조 ① 인간의 존엄성은 소멸되거나 훼손될 수 없으며, 이를 존중하고 보호하며 인권국가를 지향하는 대한민국은 민주공화국이다.

② 대한민국은 인간의 보편적 인권을 인정하고 평화와 정의의 기초가 되는 인권을 확신하며, 인권이 모든 권력 위에 있음을 확인한다.

③ 대한민국의 모든 권력은 인권을 수호해야 하는 것을 기본적 책무로 삼는다.

④ 대한민국의 주권은 국민에게 있고, 모든 권력은 국민으

로부터 나오며, 국민을 위하여 행사된다.

⑤ 대한민국은 지방분권국가이다.

⑥ 대한민국은 미래 세대에 대해 책임 있는 태도를 가져야 한다.

⑦ 대한민국은 대한제국의 불법적인 해산에 대해 인정하지 아니하며 대한제국의 국체를 정의롭게 계승하고 임시정부 수립을 통한 대한민국 건국에 따라 대한제국이 해산하고 대한민국으로 승계되었다고 본다.

제2조 ① 대한민국 국민의 자녀는 출생 시에 대한민국 국적을 취득하며, 그 밖에 대한민국 국민이 되는 요건과 절차에 관하여 필요한 사항은 법률로 정한다.

② 국가는 자의적으로 국민의 국적을 박탈하거나 국외로 추방할 수 없다.

③ 국가는 법률로 정하는 바에 따라 재외국민을 보호할 의무를 지며, 구체적인 사항은 법률로 정한다.

④ 한민족을 부 또는 모로 하여 출생한 사람과 그들의 후손은 헌법과 법률로 정하는 바에 따라 대한민국 국적을 취득할 수 있다.

제3조 ① 대한민국의 영역는 한반도와 그 부속도서(附屬

島嶼)를 포함하는 영토, 영해, 영공으로 한다.

② 대한민국의 수도(首都)에 관한 사항은 법률로 정한다.

③ 대한민국의 국기는 태극기이다.

④ 대한민국의 국가는 애국가이다.

⑤ 대한민국의 국어는 한국어이다.

제4조 대한민국은 통일을 지향하며, 민주적 기본질서에 입각한 평화적 통일 정책을 수립하고 이를 추진한다.

제5조 ① 대한민국은 국제평화를 유지하기 위하여 노력하고 침략적 전쟁을 인정하지 않는다.

② 국군은 국가의 안전보장과 국토방위의 의무를 수행하는 것을 사명으로 하며, 국제평화 유지를 위해 공헌하며 정치적 중립성을 준수한다.

③ 군인은 대한민국 국민으로서 일반 국민과 동등하게 헌법상 보장된 권리를 가진다.

④ 군인은 재직 중은 물론 퇴직 후에도 군인의 직무상 공정성과 청렴성을 훼손해서는 안 된다.

⑤ 군인은 부당하거나 비인도적인 명령을 거부할 의무가 있다.

제6조 ① 헌법에 따라 체결·공포된 조약과 일반적으로 승인된 국제법규는 국내법과 같은 효력을 가진다.

② 외국인의 지위는 국제법과 조약으로 정하는 바에 따라 보장된다.

제7조 ① 공무원은 국민 전체에게 봉사하며, 국민에 대하여 책임진다.

② 공무원의 신분은 법률로 정하는 바에 따라 보장된다.

③ 공무원은 직무를 수행할 때 정치적 중립을 지켜야 한다.

④ 공무원은 재직 중은 물론 퇴직 후에도 공무원의 직무상 공정성과 청렴성을 훼손해서는 안 된다.

제8조 ① 정당은 정치적 자유의 표현이며 국민의 의사 형성 및 표명과 정치적 참여를 위한 기본적인 수단이다. 정당의 설립·조직 및 활동은 자유이며, 복수정당제는 보장된다.

② 정당의 목적·조직과 활동은 민주적이어야 한다.

③ 정당은 법률로 정하는 바에 따라 국가의 보호를 받으며, 국가는 소수자의 보호 등 정당한 목적과 공정 한 기준으로 법률로 정하는 바에 따라 정당 운영에 필요한 자금을 보조할 수 있다.

④ 내각은 정당의 목적이나 활동이 민주적 기본질서에 위반될 때에는 대법원에 정당의 해산을 제소할 수 있고, 제소된 정당은 대법원의 심판에 따라 해산된다.

⑤ 법률에 따라 선거권자 10분의 1 이상의 찬성으로 대법원에 정당의 해산을 제소할 수 있고, 제소된 정당은 대법원의 심판에 따라 해산된다. 단, 해당 정당이 직전 국회의원 선거에서 선거권자 10분의 1 이상의 비례대표 득표를 한 경우 그 수 이상의 찬성을 얻어야 제소할 수 있다.

⑥ 대법원의 심판에 따라 해산되는 정당의 소속 공무원은 그 직을 상실한다.

제9조 국가는 문화의 자율성과 다양성을 증진하고, 전통문화를 창조적으로 계승하기 위하여 노력해야 한다.

제2장 기본적 권리와 의무

제10조 ① 모든 사람은 태어날 때부터 자유롭고 동등한 존엄과 가치를 가지며, 행복을 추구할 권리를 가진다. 국가는 개인이 가지는 불가침의 기본적 인권을 확인하고 보장할 의무를 진다.

② 모든 사람은 자유롭게 행동할 권리를 가진다.

제11조 ① 모든 사람은 법 앞에 평등하다. 누구도 성별·종교·장애·연령·인종·지역·언어·사상·재산·출생·피부색·성적지향·신체적 특성·사회적 신분·고용 형태 또는 기타의 신분을 이유로 정치적·경제적·사회적·문화적 생활을 비롯한 모든 영역에서 차별을 받아서는 안 된다.

② 국가는 실질적 평등을 실현하고, 현존하는 차별을 시정하기 위하여 적극적으로 조치한다.

③ 사회적 특수계급 제도는 인정되지 않으며, 어떠한 형태로도 창설할 수 없다.

④ 훈장을 비롯한 영전(榮典)은 받은 자에게만 효력이 있고, 어떠한 특권도 따르지 않으며 계급창설의 수단으로 사용할 수 없다.

제12조 ① 모든 사람은 생명권을 가지며, 신체와 정신을 온전하게 유지할 권리를 가진다.

② 인간의 생명과 존엄은 최우선적으로 보장되어야 하며, 그 어떠한 것도 인간의 생명과 존엄보다 앞설 수 없다.

③ 모든 사람은 죽음을 강요받지 않는다.

④ 모든 사람은 품위 있게 죽을 권리가 있다.

⑤ 모든 사람은 노예가 될 수 없으며, 인신매매는 어떠한 경우에도 인정되지 않는다.

⑥ 모든 사람의 생명은 우열을 판단할 수 없다.

⑦ 인간복제나 비인도적인 인체실험은 할 수 없다.

⑧ 특정한 인종을 차별하거나 우대할 수 없다.

⑨ 사형제도는 어떠한 경우에도 인정되지 않는다.

제13조 ① 모든 사람은 신체의 자유를 가진다. 누구도 법률에 따르지 않고는 체포·구속·압수·수색 또는 심문을 받지 않으며, 법률과 적법한 절차에 따르지 않고는 처벌·보안처분 또는 강제노역을 받지 않는다.

② 누구나 고문이나 잔혹 행위를 당하지 않으며, 모멸적이거나 비인도적인 처우 또는 처벌을 받지 않는다.

③ 누구나 민·형사상 자기에게 불리한 진술을 강요당하지 않는다.

④ 체포·구속이나 압수·수색을 하려 할 때에는 적법한 절차에 따라 청구되고 법관이 발부한 영장을 제시해야 한다. 다만, 현행범인인 경우와 장기 5년 이상의 형에 해당하는 죄를 범하고 도피하거나 증거를 없앨 염려가 있는 경우 사후에 영장을 청구할 수 있다.

⑤ 모든 사람은 사법절차에서 변호인의 도움을 받을 권리

를 가진다. 체포 또는 구속을 당한 경우에는 즉시 변호인의 도움을 받도록 하여야 한다. 국가는 형사피의자 또는 피고인이 스스로 변호인을 구할 수 없을 때에는 법률로 정하는 바에 따라 변호인을 선임하여 변호를 받도록 하여야 한다.

⑥ 체포나 구속의 이유, 변호인의 도움을 받을 권리와 자기에게 불리한 진술을 강요당하지 않을 권리가 있음을 고지받지 않고는 누구도 체포나 구속을 당하지 않는다. 체포나 구속을 당한 사람의 가족 등 법률로 정하는 사람에게는 그 이유와 일시·장소를 즉시 통지해야 한다.

⑦ 체포나 구속을 당한 사람은 법원에 그 적부(適否)의 심사를 청구할 권리를 가진다.

⑧ 고문·폭행·협박·부당한 장기간의 구속 또는 기망(欺罔), 그 밖의 방법으로 말미암아 자의(自意)로 진술하지 않은 것으로 인정되는 피고인의 자백, 또는 정식 재판에서 자기에게 불리한 유일한 증거가 되는 피고인의 자백은 유죄의 증거로 삼을 수 없으며, 그런 자백을 이유로 처벌할 수도 없다.

⑨ 법률이 정하는 바에 따라 형사피고인이 변호인을 선임하지 못한 경우에는 재판할 수 없다.

제14조 ① 모든 사람은 행위 시의 법률에 따라 범죄를 구

성하지 않는 행위로 소추되지 않으며, 동일한 범죄로 거듭 처벌받지 않는다.

② 모든 사람은 소급입법(遡及立法)으로 참정권을 제한받거나 재산권을 박탈당하지 않는다.

③ 모든 사람은 자기의 행위가 아닌 친족·지인의 행위로 불이익한 처우를 받지 않는다.

④ 모든 사람은 박해를 피하여 다른 나라에 비호(庇護)를 구하거나 받을 권리를 가진다.

⑤ 누구든지 고문 또는 잔혹하고 비인도적인 처우나 형벌을 받을 우려가 있는 국가에 송환되거나 인도되지 않는다.

⑥ 누구든지 사형을 받을 우려가 있는 국가에 특별한 사유가 없는 한 송환되거나 인도되지 않는다.

⑦ 국외에서 범죄를 저지른 사람이 제4항과 제5항에 해당한다면 해당 국가에 송환하거나 인도하지 않고 국내에서 처벌한다.

⑧ 국가는 국제법과 법률에 따라 난민을 보호한다.

⑨ 망명권은 관련 국제조약을 존중하여 법률로 정하는 바에 따라 보장되며 대한민국에 망명한 자는 기본적인 헌법상의 가치관에 동의해야 한다.

제15조 ① 모든 사람은 거주·이전의 자유를 가진다.

② 국가는 국민이 원활히 이동하기 위해 교통수단의 편의를 증진해야 한다.

제16조 ① 모든 사람은 직업의 자유를 가진다.
② 직업의 귀천(貴賤)은 인정되지 않는다.

제17조 ① 모든 사람은 사생활의 비밀과 자유를 침해받지 않는다.
② 모든 사람은 주거의 자유를 침해받지 않는다. 주거에 대한 압수나 수색을 하려 할 때는 적법한 절차에 따라 청구되고 법관이 발부한 영장을 제시해야 한다.
③ 모든 사람은 통신의 비밀을 침해받지 않는다.

제18조 ① 모든 사람은 신앙과 양심의 자유 및 종교적·세계관적 신조의 자유를 침해되지 않는다.
② 종교 활동의 자유는 보장된다.
③ 국교는 인정되지 않으며 국가는 특정 종교를 우대할 수 없다.
④ 종교와 정치는 분리된다.
⑤ 모든 사람은 종교적 행위를 하거나 종교에 대한 교육을 받도록 강요되지 않는다.

⑥ 모든 사람은 자신의 양심에 반하여 무력을 사용하도록 강요되지 않는다. 자세한 사항은 법률로 정한다.

제19조 ① 모든 사람의 표현의 자유는 보장되며, 이에 대한 허가나 검열은 금지된다.

② 언론·출판의 기능을 보장하기 위하여 필요한 사항은 법률로 정한다.

③ 언론·출판은 타인의 권리를 침해해서는 안 된다. 언론·출판이 타인의 권리를 침해한 경우 피해자는 이에 대한 배상·정정을 청구할 수 있다.

제20조 ① 모든 사람은 연대할 권리를 가진다.

② 집회·결사의 자유는 보장되며, 이에 대한 허가는 금지된다.

③ 누구든지 의사에 반하여 집회·결사에 참여하도록 할 수 없다.

④ 국가는 소수자의 보호 등 정당한 목적과 공정한 기준으로 법률로 정하는 바에 따라 단체 운영에 필요한 자금을 보조할 수 있다.

⑤ 단체가 범죄의 목적을 추구하거나 그 수단을 이용한 경우 위법한 것으로 본다.

⑥ 단체는 법률에 따르지 않고는 해산되거나 활동이 정지되지 않는다.

⑦ 전문직 단체의 경우 법률에 따라야 하며 내부 조직 및 운영은 민주적이어야 한다.

⑧ 비밀결사 및 준군사적 성격의 조직은 금지된다.

제21조 ① 모든 사람은 알권리 및 정보접근권을 가진다.

② 모든 사람은 자신에 관한 정보를 보호받고 그 처리에 관하여 통제할 권리를 가진다.

③ 국가는 정보의 독점과 격차로 인한 폐해를 예방하고 시정하기 위하여 노력해야 한다.

④ 모든 사람은 정보문화향유권을 가진다.

⑤ 국가는 국민이 인터넷에 접속할 수 있도록 보장하여야 한다.

제22조 ① 모든 사람은 잊혀질 권리를 가진다.

② 모든 사람은 자신의 정보에 대해 법률이 정하는 바에 따라 삭제를 요구할 수 있다.

제23조 ① 모든 사람은 학문과 예술의 자유를 가진다.

② 대학의 자치는 보장된다.

③ 저작자, 발명가, 과학기술자와 예술가의 권리는 법률로써 보호한다.

④ 모든 사람은 문화생활을 누릴 권리를 가진다.

제24조 ① 모든 사람의 재산권은 보장된다. 그 내용과 한계는 법률로 정한다.

② 재산권은 공공복리에 적합하도록 행사해야 한다.

③ 공공필요에 의한 재산권의 수용·사용 또는 제한 및 그 보상에 관한 사항은 법률로 정하되, 정당한 보상을 해야 한다.

④ 모든 사람은 소비자의 권리를 가진다.

제25조 ① 모든 국민은 선거권을 가진다. 선거권 행사의 요건과 절차 등 구체적인 사항은 법률로 정한다.

② 모든 국민은 자유롭게 선거운동을 할 수 있다. 다만, 정당·후보자 간 공정한 기회를 보장하기 위하여 법률로 제한하는 경우에는 그러하지 아니하다.

③ 모든 국민은 국가에 의한 헌법적 질서의 중대한 위반 및 그 불법적 폐지에 대하여 다른 구제수단이 불가능할 때에는 이에 저항할 권리를 가진다.

제26조 모든 국민은 공무담임권을 가진다. 구체적인 사항은 법률로 정한다.

제27조 ① 모든 사람은 국가기관에 청원할 권리를 가진다. 구체적인 사항은 법률로 정한다.

② 국가는 청원을 수리하고 심사하여 그 결과를 청원인에게 통지하여야 한다.

③ 제1항의 권리를 행사했다는 이유로 어떠한 불이익도 받지 않는다.

④ 모든 사람은 공정하고 적법한 행정을 요구할 권리를 가진다.

제28조 ① 모든 사람은 헌법과 법률에 따라 법원의 재판을 받을 권리를 가진다.

② 모든 사람은 재판을 공정하고 신속하게 받을 권리를 가진다. 형사피고인은 타당한 이유가 없으면 지체 없이 공개재판을 받을 권리를 가진다.

③ 형사피고인은 유죄 판결이 확정될 때까지는 무죄로 추정한다.

④ 국가는 형사피고인이 재판받는 과정에서 유죄로 추정되어 불이익한 처분을 받지 않도록 할 의무를 진다.

⑤ 형사피고인이 유죄 판결이 확정될 때까지 언론·출판은 유죄로 추정하여 보도하거나 저술해서는 안된다.

⑥ 형사피해자는 법률로 정하는 바에 따라 해당 사건의 재판절차에서 진술할 수 있다.

⑦ 국가는 국민이 민사·행정·가사소송을 제기할 금전적 여력이 없으면 법률이 정하는 바에 따라 지원하여야 한다.

⑧ 모든 재판은 법률에 특별한 규정이 없는 한 3인 이상의 배심원단이 구성되어야 할 수 있다.

제29조 ① 국가는 형사피의자 또는 형사피고인으로서 구금되었던 사람이 법률이 정하는 불기소처분이나 무죄판결을 받은 경우 법률로 정하는 바에 따라 정당한 보상을 하여야 한다.

② 국가는 형사피의자 또는 형사피고인으로서 기소된 사람이 무죄판결을 받은 경우 명예를 회복하기 위해 최선을 다해야 한다.

제30조 공무원의 직무상 불법행위로 손해를 입은 국민은 법률로 정하는 바에 따라 국가 또는 공공단체에 정당한 배상을 청구할 수 있다. 이 경우 공무원 자신의 책임은 면제되지 않는다.

제31조 ① 타인의 범죄행위로 인하여 생명·신체 및 정신적 피해를 받은 국민은 법률로 정하는 바에 따라 국가로부터 구조 및 보호를 받을 권리를 가진다.

② 제1항의 법률은 피해자의 인권을 존중하도록 정하여야 한다.

제32조 ① 모든 사람은 능력과 적성에 따라 균등하게 교육을 받을 권리를 가진다.

② 모든 사람은 보호하는 자녀 또는 아동에게 적어도 초·중등교육과 법률로 정하는 교육을 받게 할 의무를 진다.

③ 의무교육은 무상으로 한다.

④ 교육의 자주성·전문성 및 정치적 중립성은 법률로 정하는 바에 따라 보장된다.

⑤ 국가는 평생교육을 진흥해야 한다.

⑥ 국가는 교육의 평등성을 지향해야 한다.

⑦ 학교교육·평생교육을 포함한 교육 제도와 그 운영, 교육재정, 교원의 지위에 관한 기본 사항은 법률로 정한다.

제33조 ① 모든 사람은 일할 권리를 가지며, 국가는 고용의 안정과 증진을 위한 정책을 시행해야 한다.

② 국가는 완전고용을 지향하며 노동의 신성함을 존중하고 이를 보호하여야 한다.

③ 국가는 적정임금을 보장하기 위하여 노력하며, 법률이 정하는 바에 따라 노동자와 그 가족의 품위 있는 생활을 보장할 수 있는 최저임금제를 시행하며, 동일한 가치의 노동에 대하여는 동일한 임금이 지급될 수 있도록 노력한다.

④ 노동자는 정당한 이유 없는 해고로부터 보호받을 권리를 가진다.

⑤ 노동조건은 노동자와 사용자가 동등한 지위에서 자유의사에 따라 결정하되, 그 기준은 인간의 존엄성을 보장하도록 법률로 정한다.

⑥ 모든 사람은 고용·임금 및 그 밖의 노동조건에서 임신·출산·육아 등으로 부당하게 차별을 받지 않으며, 국가는 이를 위한 정책을 시행해야 한다.

⑦ 사회적 약자의 노동은 특별한 보호를 받는다.

⑧ 국가는 국가유공자·상이군경 및 전몰군경(戰歿軍警)·의사자(義死者)의 유가족이 법률로 정하는 바에 따라 노동의 기회를 부여받을 수 있도록 노력해야 한다.

⑨ 국가는 모든 사람이 일과 생활을 균형 있게 영위할 수 있도록 해야 하며 노동의 안전을 보장하고 시간의 제한을 통한 기본적인 휴가와 유급휴가를 보장하고 휴식시설을 설

치하도록 촉진해야 한다.

제34조 ① 노동자는 자주적인 단결권과 단체교섭권을 가진다.

② 노동자는 경제적, 사회적 지위 향상 및 노동조건의 유지·개선을 위하여 단체행동권을 가진다.

③ 노동자는 법률의 정하는 바에 의하여 기업 이익의 분배에 균점할 권리가 있다.

④ 노동자는 법률의 정하는 바에 의하여 기업 경영에 참여할 권리가 있다.

⑤ 노동자는 법률의 정하는 바에 의하여 기업에 청원 하고 정보를 제공받을 권리가 있다.

⑥ 노동조합의 설립·조직 및 활동은 자유롭고 민주적 이어야 한다.

⑦ 국가와 사용자는 노동조합을 탄압하거나 해산할 수 없으며, 운영에 개입할 수 없다.

⑧ 현역 군인과 공무원의 단결권, 단체교섭권과 단체행동권은 법률로 정하는 바에 따라 제한할 수 있다.

⑨ 현역 군인과 공무원은 누구든지 자신이 가입한 노동조합 또는 직능단체를 위한 활동을 이유로 법률이 정 하지 않은 직무상 처분을 받거나 불이익한 대우를 받지 않는다.

제35조 ① 모든 사람은 인간다운 생활을 할 권리를 가진다. 국가는 법률이 정하는 바에 따라 기본소득에 관한 시책을 강구해야 한다.

② 모든 국민은 장애·질병·노령·실업·빈곤 또는 기타 불가항력의 상황 등으로 초래되는 사회적 위험에서 벗어나 적정한 삶의 질을 유지할 수 있도록 사회보장을 받을 권리를 가진다.

③ 모든 국민은 임신·출산·양육과 관련하여 국가의 지원을 받을 권리를 가진다.

④ 모든 국민은 쾌적하고 안정적인 주거생활을 할 권리를 가진다. 국가는 법률이 정하는 바에 따라 국민이 수긍할 수 있는 주거를 제공해야 한다.

⑤ 모든 국민은 관계 법령에서 정하는 바에 따라 사회보장수급권을 가진다.

⑥ 모든 국민은 건강하게 살 권리를 가지며 관계 법령에서 정하는 바에 따라 건강보험에 가입할 권리를 가진다. 국가는 질병을 예방하고 보건의료 제도를 개선해야 한다.

⑦ 식생활은 사람이 살아가는데 기본적인 행복으로 국가는 다양한 식생활을 존중해야 한다.

⑧ 국가는 법률에 정하지 않는다면 특정 의복 착용을 강

요할 수 없다.

제36조 ① 어린이와 청소년은 독립된 인격주체로서 존중과 보호를 받을 권리가 있으며, 어린이와 청소년에 대한 모든 공적·사적 조치는 어린이와 청소년의 이익을 우선적으로 고려해야 한다.

② 어린이와 청소년은 자유롭게 의사를 표현하며, 자신에게 영향을 주는 결정에 참여할 권리를 가진다.

③ 어린이와 청소년은 차별받지 아니하며, 부모와 가족 그리고 사회공동체 및 국가의 보살핌을 받을 권리를 가진다.

④ 어린이와 청소년은 모든 형태의 학대와 방임, 폭력과 착취로부터 보호받으며 적절한 휴식과 여가를 누릴 권리를 가진다.

⑤ 노인은 존엄한 삶을 누리고 정치적·경제적·사회적·문화적 생활에 참여할 권리를 가진다.

⑥ 장애인은 존엄하고 자립적인 삶을 누리며, 모든 영역에서 동등한 기회를 얻고 참여할 권리를 가진다.

⑦ 국가는 장애를 가진 사람에게 법률에 따라 자신이 가진 능력을 최대한으로 개발하고 경제활동이 가능하도록 적극적으로 지원해야 한다.

⑧ 국가는 장애를 가진 사람들의 사회적 통합을 추구하며

사회참여를 보장하여야 한다.

⑨ 국가는 고용, 노동, 복지, 재정 등 모든 영역에서 성평등을 보장해야 한다.

제37조 ① 모든 사람은 안전할 권리를 가진다.

② 모든 사람은 안전한 사회를 만들기 위해 참여할 권리를 가진다.

③ 모든 사람은 재난을 초래한 환경과 이유를 포함한 진실에 대해 알권리를 가진다.

④ 재난으로 인해 손해를 입은 사람은 보호받을 권리가 있으며, 국가는 법률이 정하는 바에 따라 사과와 배상을 받을 수 있도록 지원해야 한다.

⑤ 누구든지 재난으로 생명을 잃은 사람을 충분히 애도할 권리를 가지며, 손해를 입은 사람의 아픔에 동참하고 정의를 위해 행동할 권리를 가진다.

⑥ 국가와 국민은 재난 및 모든 형태의 폭력에 의한 피해를 예방하고, 그 위험으로부터 사람을 보호해야 한다.

⑦ 국가는 모든 역량을 동원하여 재난에 처한 사람을 구조하고 이들의 안전을 확보하기 위해 최선을 다해야 하며, 구조에 있어서 그 어떤 차별도 있어서는 안 된다.

⑧ 국가는 필요할 경우 법률이 정하는 바에 따라 재난이

해결되는 전 과정을 기록해야 한다.

⑨ 국가는 유사한 재난이 반복되지 않도록 노력해야 한다.

제38조 ① 모든 사람은 건강하고 쾌적한 환경에서 생활할 권리를 가진다. 구체적인 내용은 법률로 정한다.

② 국가는 모든 생명체의 소중함을 인식하고 필요한 보호 정책을 시행해야 한다.

③ 국가는 기후변화에 대처하고, 에너지의 생산과 소비의 정의를 위해 노력하여야 한다.

④ 국가는 지구생태계와 미래세대에 대한 책임을 지고, 환경을 지속가능하게 보전하여야 한다.

⑤ 모든 국민은 자연을 보호해야 할 의무가 있다.

제39조 ① 혼인과 가족생활은 개인의 존엄과 평등을 바탕으로 성립되고 유지되어야 하며, 국가는 이를 보장 한다.

② 혼인과 가족생활의 형태에 따라 차별할 수 없다.

③ 누구든지 혼인하거나 하지 않을 것을 강요받지 않는다.

④ 혼인이 가능한 연령은 법률로 정한다.

⑤ 근친혼은 인정되지 아니한다.

⑥ 중혼은 인정되지 아니한다.

⑦ 인간 이외의 대상과는 혼인할 수 없다.

⑧ 인간 이외의 대상과는 가족관계를 구성할 수 없다.

제40조 ① 자유와 권리는 헌법에 구체적으로 열거되지 않았다는 이유로 경시되지 않는다.

② 모든 자유와 권리는 국가안전보장 혹은 공공복리를 위하여 필요한 경우에만 법률로써 제한할 수 있으며, 제한하는 경우에도 자유와 권리의 본질적인 내용을 침해할 수 없다.

③ 국가안전보장 혹은 공공복리를 위하여 자유와 권리를 제한할 경우 법률에 따라 보상해야 한다.

제41조 ① 모든 사람은 법률로 정하는 바에 따라 납세의 의무를 진다.

② 국가는 납세의 의무를 이행하는 사람이 불이익한 처우를 받지 않도록 하여야 한다.

제42조 ① 모든 국민은 법률로 정하는 바에 따라 국방의 의무를 진다.

② 국가는 국방의 의무를 이행하는 국민의 인권을 보장하기 위한 정책을 시행해야 한다.

③ 국가는 국방의 의무를 이행하는 국민에게 적정한 보상을 하여야 한다.

④ 국가는 국방의 의무를 이행하는 국민이 불이익한 처우를 받지 않도록 하여야 한다.

⑤ 누구든지 양심에 반하여 병역을 강제 받지 아니하고, 법률이 정하는 바에 의하여 대체복무를 할 수 있다.

제3장 대통령

제43조 ① 대통령은 국가를 대표한다.

② 대통령은 국가의 독립과 계속성을 유지하고, 영토를 보존하며, 헌법을 수호할 책임과 의무를 진다.

③ 부통령은 대통령을 보좌한다.

제44조 ① 대통령과 부통령은 국민의 보통·평등·직접·비밀선거에 의하여 선출한다.

② 제1항의 선거에 있어서 최고득표자가 2인 이상인 때에는 국회의 재적의원 과반수가 출석한 공개회의에서 다수표를 얻은 자를 당선자로 한다.

③ 대통령 혹은 부통령 후보자가 한 명이면 그 득표수가 선거권자 총수의 3분의 1 이상이 아니면 당선될 수 없다.

④ 대통령 혹은 부통령으로 선거될 수 있는 사람은 대한

민국 태생이고 국회의원의 피선거권이 있어야 한다.

⑤ 대통령과 부통령 선거에 관한 사항은 법률로 정한다.

제45조 ① 대통령 혹은 부통령의 임기가 만료되는 경우 임기만료 70일 전부터 40일 전 사이에 후임자를 선거한다.

② 대통령 혹은 부통령이 궐위(闕位)된 경우 또는 당선자가 사망 하거나 판결, 그 밖의 사유로 그 자격을 상실한 경우 60일 이내에 후임자를 선거한다.

③ 결선투표는 제1항 및 제2항에 따른 첫 선거일부터 14일 이내에 실시한다.

제46조 대통령은 취임에 즈음하여 다음의 선서를 한다.

"나는 헌법을 준수하고 인권을 존중하며 국가를 지키고 국민의 자유와 복리의 증진 및 문화 융성에 노력하여 대통령으로서 맡은 직책을 성실히 수행할 것을 국민 앞에 엄숙히 선서합니다."

제47조 ① 대통령과 부통령의 임기는 4년으로 한다.

② 대통령과 부통령이 궐위된 경우의 후임자는 전임자의 잔임기간만 재임한다.

③ 대통령과 부통령은 1차에 한하여 중임할 수 있다.

제48조 ① 대통령이 궐위되거나 질병·사고 등으로 직무를 수행할 수 없는 경우 부통령, 국회의장, 국무총리, 대법원장 순으로 대행한다.

② 부통령이 궐위되거나 질병·사고 등으로 직무를 수행할 수 없는 경우 국회의장, 국무총리, 대법원장 순으로 대행한다.

③ 대통령 혹은 부통령이 사임하려고 하거나 질병·사고 등으로 직무를 수행할 수 없는 경우 대통령 혹은 부통령은 그 사정을 제1항에 따라 권한대행을 할 사람에게 서면으로 미리 통보해야 한다.

④ 제2항의 서면 통보가 없는 경우 권한대행의 개시 여부에 대한 최종적인 판단은 국무총리가 국무회의의 심의를 거쳐 대법원에 신청하여 그 결정에 따른다.

⑤ 권한대행의 지위는 대통령 혹은 부통령이 복귀 의사를 서면으로 통보한 때에 종료된다. 다만, 복귀한 대통령 혹은 부통령의 직무 수행 가능 여부에 대한 다툼이 있을 때에는 대법원에 신청하여 그 결정에 따른다.

⑥ 제1항에 따라 대통령 혹은 부통령의 권한을 대행하는 사람은 그 직을 유지하는 한 대통령 혹은 부통령 선거에 입후보할 수 없다.

⑦ 대통령 혹은 부통령의 권한대행에 관하여 필요한 사항은 법률로 정한다.

제49조 대통령은 국무회의 의결에 따라 조약을 체결·비준하고, 외교사절을 신임·접수 또는 파견하며, 선전포고와 강화를 한다.

제50조 ① 대통령은 헌법과 법률로 정하는 바에 따라 내각의 조언을 통해 국군을 통수한다.
② 국군의 조직과 편성은 법률로 정한다.

제51조 ① 대통령은 내우외환, 천재지변 또는 중대한 재정, 경제상의 위기에 국가의 안전보장이나 공공의 질서를 유지하기 위하여 긴급한 조치가 필요하고 국회의 집회를 기다릴 여유가 없을 때에만 최소한으로 필요한 재정·경제상의 처분을 하거나 이에 관하여 법률의 효력을 가지는 명령을 국무회의 의결에 따라 발할 수 있다.
② 대통령은 국가의 안위에 관계되는 중대한 교전 상태에서 국가를 보위하기 위하여 긴급한 조치가 필요함 에도 국회의 집회가 불가능한 경우에만 법률의 효력을 가지는 명령을 국무회의 의결에 따라 발할 수 있다.

③ 대통령은 제1항과 제2항의 처분이나 명령을 한 경우 지체 없이 국회에 보고하여 승인을 받아야 한다.

④ 제3항의 승인을 받지 못한 때에는 그 처분이나 명령은 즉시 효력을 상실한다. 이 경우 그 명령에 따라 개정되었거나 폐지되었던 법률은 그 명령이 승인을 받지 못한 때부터 당연히 효력을 회복한다.

⑤ 대통령은 제3항과 제4항의 사유를 지체 없이 공포해야 한다.

제52조 ① 대통령은 전시·사변 또는 이에 준하는 국가 비상사태에 병력으로써 군사상의 필요에 응하거나 공공 의 안녕질서를 유지할 필요가 있을 때에는 법률로 정하는 바와 국무회의 의결에 따라 계엄을 선포할 수 있다.

② 계엄이 선포된 경우 법률로 정하는 바에 따라 영장제도, 언론·출판·집회·결사의 자유, 정부나 법원의 권한에 관하여 특별한 조치를 할 수 있다.

③ 계엄을 선포한 경우 대통령은 지체 없이 국회에 통고해야 한다.

④ 계엄이 선포되면 국회는 즉시 소집되며 이를 방해할 수 없다.

⑤ 국회가 재적의원 과반수의 찬성으로 계엄의 해제를 의

결하면 계엄은 즉시 해제된다.

제53조 ① 대통령은 법률로 정하는 바와 국무회의 의결에 따라 사면·감형 또는 복권을 명할 수 있다.
② 사면을 명하려면 국회의 동의를 받아야 한다.
③ 사면·감형과 복권에 관한 사항은 법률로 정한다.

제54조 대통령은 헌법과 법률의 정하는 바에 따라 공무원의 임면을 확인한다.

제55조 대통령은 법률로 정하는 바와 국무회의 의결에 따라 훈장을 비롯한 영전을 수여한다.

제56조 대통령과 부통령은 헌법과 법률이 정하는 바에 따라 국회에 출석하여 발언하거나 문서로 의견을 표시할 수 있다.

제57조 대통령과 부통령의 국법상 행위는 문서로써 한다.

제58조 대통령과 부통령은 국회의원, 법관, 그 밖에 법률로 정하는 공사(公私)의 직을 겸할 수 없다.

제59조 대통령과 부통령은 내란 또는 외환의 죄를 범한 경우를 제외하고는 재직 중 형사상의 소추를 받지 않는다.

제60조 전직 대통령과 부통령의 신분과 예우에 관한 사항은 법률로 정한다.

제4장 국회

제61조 입법권은 국회에 있다.

제62조 ① 국회는 국민이 보통·평등·직접·비밀선거로 선출한 국회의원으로 구성한다.
② 국회의원의 수는 법률로 정하되, 300명 이상으로 한다.
③ 국회의원의 선거구와 비례대표제, 그 밖에 선거에 관한 사항은 법률로 정한다.

제63조 ① 국회의원의 임기는 4년으로 한다. 단, 국회가 해산된 때에는 그 임기는 해산과 동시에 종료한다.
② 국무총리가 국회해산을 통보할 경우 통보일로부터 40

일 후에 국회가 해산된다.

③ 제2항에 따라 선거를 할 경우 통보일로부터 30일 이내에 선거를 해야 한다.

④ 제2항에 따라 선거를 할 경우 국회의원의 임기는 해산된 국회의 잔임기간으로 한다.

⑤ 국회의원의 임기가 100일 이내로 남아있을 경우 국회는 해산되지 않는다.

⑥ 국민은 국회의원을 소환할 수 있다. 소환의 요건과 절차 등 구체적인 사항은 법률로 정한다.

⑦ 국무총리가 국회해산을 통보한 경우 국회는 국무총리의 동의 없이 법률안을 제정하거나 개정할 수 없다.

제64조 국회의원은 법률로 정하는 직(職)을 겸할 수 없다.

제65조 ① 국회의원은 현행범인인 경우를 제외하고는 국회의 동의 없이 체포되거나 구금되지 않는다.

② 국회의원이 체포되거나 구금된 경우 국회의 요구 가 있으면 석방된다.

③ 국회의장은 재적의원 4분의 3 이상의 동의 없이 는 어떠한 경우에도 체포되거나 구금되지 않는다.

제66조 국회의원은 국회에서 직무상 발언하거나 표결한 것에 관하여 국회 밖에서 책임을 지지 않는다.

제67조 ① 국회의원은 청렴해야 할 의무를 진다.

② 국회의원은 국가이익을 우선하여 양심에 따라 직무를 수행한다.

③ 국회의원은 그 지위를 남용하여 국가·공공단체 또는 기업체와의 계약이나 그 처분에 따라 재산상의 권리·이익 또는 직위를 취득하거나 타인을 위하여 그 취득을 알선할 수 없다.

제68조 국회는 의장 1명과 부의장 1명을 선출한다.

제69조 국회는 헌법 또는 법률에 특별한 규정이 없으면 재적의원 과반수의 출석과 출석의원 과반수의 찬성으로 의결한다. 가부동수일 때에는 의장이 결정한다.

제70조 ① 국회의 회의는 공개한다. 다만, 출석의원 과반수의 찬성이 있거나 국회의장이 국가의 안전보장을 위하여 필요하다고 인정할 때에는 공개하지 않을 수 있다.

② 공개하지 않은 회의 내용의 공표에 관하여는 법률로

정한다.

제71조 ① 국회의원과 국민은 법률안을 제출할 수 있다.

② 법률안이 지방자치와 관련되는 경우 국회의장은 지방의회에 이를 통보해야 하며, 해당 지방의회는 그 법률안에 대하여 의견을 제시할 수 있다. 구체적인 사항은 법률로 정한다.

③ 국민의 법률안 제출의 요건과 절차 등 구체적인 사항은 법률로 정한다.

제72조 ① 국회에서 의결된 법률안은 내각에 이송된 날부터 10일 이내에 대통령이 공포한다.

② 법률은 특별한 규정이 없으면 공포한 날부터 10일이 지나면 효력이 생긴다.

제73조 ① 국회는 내각을 불신임할 수 있다.

② 제1항에 따라 불신임하려면 국회 재적의원 3분의 1 이상이 발의하고 국회 재적의원 과반수가 찬성해야 한다.

③ 국무총리가 속한 정당의 국회의원은 불신임안을 발의하거나 찬성할 수 없다.

④ 제1항에 따라 불신임안이 발의되면 국무총리가 속한

정당의 국회의원은 불신임안에 반대한 것으로 간주한다.

⑤ 국무총리가 속하지 아니하고 국무부총리나 국무위원이 속한 정당의 국회의원이 불신임안을 발의하거나 찬성하려면 국무부총리나 국무위원을 정당에서 제명하거나 그 직을 사임시켜야 하며 이를 하지 않는 경우 제4항에 따라 반대한 것으로 간주한다.

제74조 ① 국회는 국가의 예산안을 심의하여 예산법률로 확정한다.

② 내각은 회계연도마다 예산안을 편성하여 회계연도 개시 100일 전까지 국회에 제출하고, 국회는 회계연도 개시 30일 전까지 예산법률안을 의결해야 한다.

③ 새로운 회계연도가 개시될 때까지 예산법률이 효력을 발생하지 못한 경우 내각은 예산법률이 효력을 발생할 때까지 다음의 목적을 위한 경비를 전년도 예산법률에 준하여 집행할 수 있다.

1. 헌법이나 법률에 따라 설치한 기관이나 시설의 유 지·운영

2. 법률로 정하는 지출 의무의 실행

3. 이미 예산법률로 승인된 사업의 계속

④ 예산안의 심의와 예산법률안의 의결 등에 필요한 사항

은 법률로 정한다.

제75조 ① 한 회계연도를 넘어 계속하여 지출할 필요가 있는 경우 내각은 연한(年限)을 정하여 계속비로서 국회의 의결을 거쳐야 한다.

② 예비비는 총액으로 국회의 의결을 거쳐야 한다. 예비비의 지출은 차기 국회의 승인을 받아야 한다.

제76조 내각은 예산법률을 개정할 필요가 있는 경우 추가경정예산안을 편성하여 국회에 제출할 수 있다.

제77조 국채를 모집하거나 예산법률 외에 국가의 부담이 될 계약을 맺으려면 내각은 미리 국회의 의결을 거쳐야 한다.

제78조 조세의 종목과 세율은 법률로 정한다.

제79조 ① 국회는 다음 조약의 체결·비준에 대한 동의권을 가진다.

1. 상호원조나 안전보장에 관한 조약
2. 중요한 국제조직에 관한 조약

3. 우호통상항해조약

4. 주권의 제약에 관한 조약

5. 강화조약(講和條約)

6. 국가나 국민에게 중대한 재정 부담을 지우는 조약

7. 입법사항에 관한 조약

8. 그 밖에 법률로 정하는 조약

② 국회는 선전포고, 국군의 외국 파견 또는 외국 군대의 대한민국 영역 내 주류(駐留)에 대한 동의권을 가진다.

제80조 ① 국회는 국정을 감사하거나 특정한 국정사 안에 대하여 조사할 수 있으며, 이에 필요한 서류의 제출, 증인의 출석, 증언, 의견의 진술을 요구할 수 있다.

② 국정감사와 국정조사의 절차, 그 밖에 필요한 사 항은 법률로 정한다.

제81조 ① 국무총리, 국무부총리, 국무위원, 정부위원은 국회나 그 위원회에 출석하여 국정 처리 상황을 보고하거나 의견을 진술하고 질문에 응답할 수 있다.

② 국회나 그 위원회에서 요구하면 국무총리, 국무부 총리, 국무위원, 정부위원은 출석하여 답변해야 한다. 다만, 국무총리, 국무부총리, 국무위원이 출석 요구를 받은 경우 국

무부총리, 국무위원, 정부위원이 출석·답변하게 할 수 있다.

제82조 ① 국회는 대법원장, 부대법원장, 대법관을 해임할 수 있다.

② 제1항에 따라 해임하려면 국회 재적의원 과반수가 발의하고 국회 재적의원 3분의 2 이상이 찬성해야 한다.

제83조 ① 국회는 법률에 위반되지 않는 범위에서 의사와 내부 규율에 관한 규칙을 제정할 수 있다.

② 국회는 국회의원의 자격을 심사하며, 국회의원을 징계할 수 있다.

③ 국회의원을 제명하려면 국회 재적의원 4분의 3 이상이 찬성해야 한다.

④ 제2항과 제3항의 처분에 대해서는 법원에 제소할 수 없다.

제84조 ① 대통령, 부통령, 기타 법률이 정한 공무원이 직무를 집행하면서 헌법이나 법률을 위반한 경우 국회는 탄핵의 소추를 의결할 수 있다.

② 제1항의 탄핵소추를 하려면 국회 재적의원 3분의 1 이상 또는 국회의원 선거권자 10분의 1 이상의 찬성으로 발의

하고 국회 재적의원 과반수가 찬성해야 한다. 다만, 대통령과 부통령에 대한 탄핵소추는 국회 재적의원 과반수 또는 국회의원 선거권자 10분의 2 이상의 찬성으로 발의하고 국회 재적의원 3분의 2 이상이 찬성해야 한다.

③ 탄핵소추의 의결을 받은 사람은 탄핵심판이 있을 때까지 권한을 행사하지 못한다.

④ 탄핵결정은 공직에서 파면하는 데 그친다. 그러나 파면되더라도 민사상 또는 형사상 책임이 면제되지는 않는다.

제85조 국가의 세입·세출의 결산, 국가·지방정부 및 법률로 정하는 단체의 회계검사, 법률로 정하는 국가·지방정부의 기관 및 공무원의 직무에 관한 감찰을 하기 위하여 국회 산하에 감사원을 둔다.

제86조 ① 감사원은 원장을 포함한 9명의 감사위원으로 구성하며, 감사위원은 국회의장이 임명한다.

② 제1항에 따라 감사위원을 임명하려면 국회 재적의원 과반수가 발의하고 국회 재적의원 3분의 2 이상이 찬성해야 한다.

③ 감사원장과 감사위원의 임기는 4년으로 한다. 다만, 감사위원으로 재직 중인 사람이 감사원장으로 임명되는 경우

그 임기는 감사위원 임기의 남은 기간으로 한다.

④ 감사위원은 정당에 가입하거나 정치에 관여할 수 없다.

⑤ 감사위원을 해임하려면 국회 재적의원 과반수가 발의하고 국회 재적의원 3분의 2 이상이 찬성해야 한다.

제87조 감사원은 세입·세출의 결산을 매년 검사하여 다음 연도 국회에 그 결과를 보고해야 한다.

제88조 ① 감사원은 법률에 위반되지 않는 범위에서 감사에 관한 절차, 감사원의 내부 규율과 감사사무 처리에 관한 규칙을 제정할 수 있다.

② 감사원의 조직, 직무 범위, 감사위원의 자격, 감사 대상 공무원의 범위, 그 밖에 필요한 사항은 법률로 정 한다.

제5장 정부

제1절 내각

제89조 ① 행정권은 국무총리를 수반으로 하는 내각에 있다.

② 국무총리는 국회의원 중에서 국회 재적의원 과반수의 동의를 얻어 선출한다.

③ 국무총리가 사고로 인하여 직무를 수행할 수 없을 때에는 국무부총리와 법률의 정하는 순서에 따라 국무위원이 그 권한을 대행한다.

④ 국무총리가 국회의원의 직위를 상실할 경우 퇴직 된다.

제90조 ① 국무부총리와 국무위원은 국회의원 중에서 국무총리가 지명하여 대통령이 임명한다.

② 국무부총리는 국정에 관하여 국무총리를 보좌한다.

③ 국무위원은 국무회의의 구성원으로서 국정을 심의 한다.

④ 국무부총리와 국무위원이 국회의원의 직위를 상실할 경우 퇴직된다.

제91조 국무총리는 필요하다고 인정할 경우 국가 안위에 관한 중요 정책을 국민투표에 부칠 수 있다.

제92조 국무총리는 법률에서 구체적으로 범위를 정하여 위임받은 사항과 법률을 집행하는 데 필요한 사항에 관하여 국무총리령을 발(發)할 수 있다.

제93조 국무총리는 헌법과 법률로 정하는 바에 따라 공무원을 임면(任免)한다.

제94조 ① 국무총리는 국회가 내각을 불신임한 경우 국회를 해산할 수 있다.

② 제1항에 따라 국회해산을 결의하지 않는 한 내각은 10일 이내에 총사퇴해야 한다.

③ 국무총리는 국회가 내각을 불신임하지 않으면 국회를 해산할 수 없다.

제2절 국무회의와 국가자치분권회의

제95조 ① 국무회의는 내각의 권한에 속하는 중요한 정책을 심의한다.

② 국무회의는 국무총리와 15명 이상 30명 이하의 국무위원으로 구성한다.

③ 국무총리는 국무회의의 의장이 되고, 국무부총리는 부의장이 된다.

제96조 다음 사항은 국무회의의 심의를 거쳐야 한다.

1. 국정의 기본계획과 내각의 일반 정책

2. 선전(宣戰), 강화, 그 밖에 중요한 대외 정책

3. 헌법 개정안, 국민투표안, 조약안, 국무총리령안

4. 국회해산에 관한 사항

5. 내각 총사퇴에 관한 사항

6. 예산안, 결산, 국유재산 처분의 기본계획, 국가에 부담이 될 계약, 그 밖에 재정에 관한 중요 사항

7. 긴급명령, 긴급재정경제처분 및 명령, 계엄의 선포와 해제

8. 군사에 관한 중요 사항

9. 영전 수여

10. 사면·감형과 복권

11. 행정각부 간의 권한 획정

12. 내각 안의 권한 위임 또는 배정에 관한 기본계획

13. 국정 처리 상황의 평가·분석

14. 행정각부의 중요 정책 수립과 조정

15. 정당 해산의 제소

16. 내각에 제출되거나 회부된 내각 정책에 관계되는 청원의 심사

17. 합동참모의장·각군참모총장·국립대학교총장·대사 기타 법률로 정한 공무원과 국영기업체 관리자의 임명

18. 사립대학교총장직무대행의 임명

19. 사립대학교에 임시 이사 파견 결정

20. 그 밖에 국무총리나 국무위원이 제출한 사항

제97조 ① 중앙정부와 지방정부 간 협력을 추진하고 지방 자치와 지방 간 균형 발전에 관련되는 중요 정책을 심의하기 위하여 국가자치분권회의를 둔다.

② 국가자치분권회의는 국무총리, 국무부총리와 지방 행정부의 장으로 구성한다.

③ 국무총리는 국가자치분권회의의 의장이 되고, 국무부총리는 부의장이 된다.

④ 국가자치분권회의의 조직과 운영 등 구체적인 사 항은 법률로 정한다.

제3절 행정각부

제98조 행정각부의 장은 국무총리의 제청으로 대통령이 임명한다.

제99조 국무총리 또는 행정각부의 장은 소관 사무에 관하여 법률이나 국무총리령의 위임 또는 직권으로 총리령 또는

부령을 발할 수 있다.

제100조 행정각부의 설치·조직과 직무 범위는 법률로 정한다.

제6장 법원

제101조 ① 사법권은 법관으로 구성된 법원에 있다. 국민은 법률로 정하는 바에 따라 배심원 또는 그 밖의 방법으로 재판에 참여할 수 있다.
② 법원은 최고법원인 대법원과 지방법원으로 조직한다.
③ 법관의 자격은 법률로 정한다.
④ 모든 법관은 임용시 국회의 동의를 받아야 한다.
⑤ 법관은 법률에 따라 선거할 수 있다.

제102조 ① 대법원에 일반재판부와 전문재판부를 둘 수 있다.
② 대법원에 대법관을 둔다. 다만, 법률로 정하는 바에 따라 대법관이 아닌 법관을 둘 수 있다.
③ 대법원과 지방법원의 조직은 법률로 정한다.

제103조 법관은 헌법과 법률에 의하여 그 양심에 따라 독립하여 공정하게 심판한다.

제104조 ① 대법원장, 부대법원장, 대법관은 법관인 자 중에서 국회 재적의원 3분의 2 이상의 동의를 얻어 선출한다.
② 제1항의 관하여 필요한 사항은 법률로써 정한다.

제105조 ① 대법원장의 임기는 4년으로 하며, 연임할 수 없다.
② 부대법원장과 대법관의 임기는 4년으로 하며, 연임할 수 있다.
③ 대법원장, 부대법원장, 대법관이 궐위된 경우의 후임자는 전임자의 잔임기간 동안 재임한다.
④ 법관의 정년은 법률로 정한다.

제106조 ① 법관은 국회 혹은 지방의회의 의결을 통한 해임 혹은 국민 심사에서 의하거나 금고 이상의 형을 선고받지 않고는 파면되지 않으며, 징계처분에 의하지 않고는 해임, 정직, 감봉, 그 밖의 불리한 처분을 받지 않는다.
② 법관이 중대한 심신상의 장해로 직무를 수행할 수 없

을 때는 법률로 정하는 바에 따라 퇴직하게 할 수 있다.

③ 국민은 법관을 소환할 수 있다. 소환의 요건과 절차 등 구체적인 사항은 법률로 정한다.

④ 제3항에 따라 소환을 받은 법관은 결과를 공표할 때까지 권한을 행사하지 못한다.

⑤ 대법원장, 부대법원장, 대법관은 임명 후 처음으로 행해지는 지방선거 때 국민의 심사를 부친다.

⑥ 국민의 심사에 부쳐진 법관에 대해 투표자의 3분의 2 이상이 법관의 파면을 찬성하는 경우 그 법관은 파면된다.

제107조 ① 법률이 헌법에 위반되는지가 재판의 전제가 된 경우 법원은 대법원에 제청하여 그 심판에 따라 재판한다.

② 제1항의 심판에 대해 법원은 대법원에 의견을 제출할 수 있다.

③ 명령·규칙·조례 또는 자치규칙이 헌법이나 법률에 위반되는지가 재판의 전제가 된 경우 대법원은 이를 최종적으로 심사할 권한을 가진다.

④ 재판의 전심절차로서 행정심판을 할 수 있다. 행정심판의 절차는 법률로 정하되, 사법절차가 준용되어야 한다.

제108조 대법원은 법률에 위반되지 않는 범위에서 소송에 관한 절차, 법원의 내부 규율과 사무 처리에 관한 규칙을 제정할 수 있다.

제109조 재판의 심리와 판결은 공개한다. 다만, 심리는 인권을 침해할 염려가 있거나 국가의 안전보장을 위협할 때는 법원의 결정으로 공개하지 않을 수 있다.

제110조 ① 대법원이 관장하는 다음 사안에 대해서는 대법관 3분의 2 이상의 찬성으로 결정한다.
1. 법원의 제청에 의한 법률의 위헌 여부 심판
2. 탄핵의 심판
3. 정당의 해산 심판
4. 국가기관 상호 간, 국가기관과 지방정부 간, 지방정부 상호 간의 권한쟁의에 관한 심판
5. 법률로 정하는 헌법소원에 관한 심판
6. 대통령 권한대행의 개시 또는 대통령의 직무 수행 가능 여부에 관한 심판
7. 그 밖에 법률로 정하는 사항에 관한 심판

제111조 ① 대법원 산하에 선거위원회를 두며 다음 사항을 관장한다.

1. 국가와 지방정부의 선거에 관한 사무
2. 국민발안, 국민투표, 국민소환의 관리
3. 정당과 정치자금에 관한 사무
4. 주민발안, 주민투표, 주민소환의 관리
5. 그 밖에 법률로 정하는 사무

② 선거위원회는 대법원에서 임명하는 9명의 위원으로 구성한다. 위원장은 위원 중에서 호선한다.

③ 제2항에 따라 대법원에서 위원을 임명하려면 국회 재적의원 3분의 2 이상의 동의를 얻어야 한다.

제112조 ① 선거위원회는 법률에 위반되지 않는 범위에서 소관 사무의 처리와 내부 규율에 관한 규칙을 제정할 수 있다.

② 선거위원회의 조직, 직무 범위, 그 밖에 필요한 사항은 법률로 정한다.

제113조 ① 선거위원회는 선거인명부의 작성 등 선거 사무와 국민투표 사무에 관하여 관계 행정기관에 필요한 지시를 할 수 있다.

② 제1항의 지시를 받은 행정기관은 지시에 따라야 한다.

제114조 ① 누구나 자유롭게 선거운동을 할 수 있다. 다만, 후보자 간 공정한 기회를 보장하기 위하여 필요 한 경우에만 법률로써 제한할 수 있다.

② 선거에 관한 경비는 법률로 정하는 경우를 제외하고는 정당이나 후보자에게 부담시킬 수 없다.

③ 선거운동에 드는 경비는 법률로 정하는 바에 따라 후보자에게 지원해야 한다.

제10장 지방자치

제115조 ① 지방정부의 자치권은 주민에 속한다. 주민은 자치권을 직접 또는 지방정부를 통해 행사한다.

② 지방정부의 종류와 구역 등 지방정부에 관한 주요 사항은 법률로 정한다.

③ 주민발안, 주민투표 및 주민소환에 관하여 그 대상, 요건 등 기본적인 사항은 법률로 정하고, 구체적인 내용은 조례로 정한다.

④ 국가와 지방정부 간, 지방정부 상호 간 사무의 배분은

주민에게 가까운 지방정부가 우선한다는 원칙에 따라 법률로 정한다.

제116조 ① 지방정부에 주민이 보통·평등·직접·비밀 선거로 구성하는 지방의회와 법률에 따라 구성하는 지방법원을 둔다.

② 지방정부의 조직과 운영에 관한 기본적인 사항은 법률로 정하고, 구체적인 내용은 조례로 정한다.

③ 지방행정부의 장은 법률 또는 조례를 집행하기 위하여 필요한 사항과 법률 또는 조례에서 구체적으로 범위를 정하여 위임받은 사항에 관하여 자치규칙을 정할 수 있다.

④ 지방법원의 장은 법률 또는 조례를 집행하기 위하여 필요한 사항과 법률 또는 조례에서 구체적으로 범위를 정하여 위임받은 사항에 관하여 자치규칙을 정할 수 있다.

제117조 ① 지방의회는 법률에 위반되지 않는 범위에 서 주민의 자치와 복리에 필요한 사항에 관하여 조례를 제정할 수 있다.

② 지방의회는 국회에 법률 제정을 건의할 수 있다.

③ 지방의회는 지방법원의 장을 해임할 수 있다.

④ 제3항에 따라 해임하려면 지방의회 재적의원 과반수가

발의하고 지방의회 재적의원 3분의 2 이상이 찬성해야 한다.

　제118조 ① 지방정부는 자치사무의 수행에 필요한 경비를 스스로 부담한다. 국가 또는 다른 지방정부가 위임한 사무를 집행하는 경우 그 비용은 위임하는 국가 또는 다른 지방정부가 부담한다.

　② 지방의회는 법률에 위반되지 않는 범위에서 자치 세의 종목과 세율, 징수 방법 등에 관한 조례를 제정할 수 있다.

　③ 조세로 조성된 재원은 국가와 지방정부의 사무 부담 범위에 부합하게 배분해야 한다.

　④ 국가와 지방정부 간, 지방정부 상호 간에 법률로 정하는 바에 따라 적정한 재정조정을 시행한다.

　제11장 경제

　제119조 ① 대한민국의 경제질서는 모든 국민에게 인간으로서 존엄과 가치를 보장할 수 있도록 균형있는 국민경제의 발전을 기함을 기본으로 삼는다.

　② 국가는 경제의 성장 및 안정과 적정한 소득의 분배를 유지하고, 시장의 지배와 경제력의 집중과 남용을 방지하며,

여러 경제주체의 참여, 상생 및 협력이 이루어지도록 경제에
관한 규제와 조정을 하여야 한다.

③ 개인과 기업의 경제상의 자유와 창의는 사회정의의 한
도 내에서 보장된다.

④ 국가는 경제적으로 어려운 계층의 경제력 발전을 위해
노력해야 한다.

⑤ 국가는 지방 간의 균형 있는 발전을 위하여 지방 공유
자산을 유지, 발전시키며 지방경제를 육성할 의무를 진다.

제120조 ① 국가는 국토와 자원을 보호해야 하며, 지속가
능하고 균형 있는 이용·개발과 보전을 위하여 필요한 계획을
수립·시행한다.

② 자연자원은 모든 국민의 공동자산으로서 국가의 보호
를 받으며, 국가는 지속가능한 개발과 이용을 위하여 필요한
계획을 수립하고 이를 달성하기 위하여 노력한다.

③ 광물을 비롯한 중요한 지하자원, 해양수산자원, 산림자
원, 수력과 풍력 등 경제적으로 이용할 수 있는 자연력은 법
률로 정하는 바에 따라 국가가 일정 기간 채취·개발 또는
이용을 특허할 수 있다.

제121조 ① 국가는 농지에 관하여 경자유전(耕者有田)의

원칙이 달성될 수 있도록 노력해야 하며, 농지의 소작제도는 금지된다.

② 농업생산성의 제고와 농지의 합리적인 이용을 위하거나 불가피한 사정으로 발생하는 농지의 임대차와 위탁경영은 법률로 정하는 바에 따라 인정된다.

제122조 ① 국가는 국민 모두의 생산과 생활의 바탕이 되는 국토의 효율적이고 균형 있는 이용, 개발과 보전을 도모하고, 토지 투기로 인한 경제왜곡과 불평등을 방지하기 위하여 법률이 정하는 바에 의하여 필요한 제한과 의무를 과한다.

② 국가는 토지의 공공성과 합리적 사용을 위하여 필요한 경우에만 법률로써 특별한 제한을 하거나 의무를 부과하여야 한다.

제123조 ① 국가는 식량의 안정적 공급과 생태 보전 등 농어업의 공익적 기능을 바탕으로 농어촌의 지속가능한 발전과 농어민의 삶의 질 향상을 위한 지원 등 필요한 계획을 수립·시행해야 한다.

② 국가는 농수산물의 수급균형과 유통구조의 개선에 노력하여 가격안정을 도모함으로써 농어민의 이익을 보호한다.

③ 국가는 농어민의 자조조직을 육성해야 하며, 그 조직의 자율적 활동과 발전을 보장한다.

제124조 ① 국가는 중소기업과 소상공인을 보호, 육성하고, 협동조합의 육성 등 사회적 경제의 진흥을 위하여 노력해야 한다.
② 국가는 중소기업과 소상공인의 자조조직을 육성해야 하며, 그 조직의 자율적 활동과 발전을 보장한다.

제125조 ① 국가는 안전하고 우수한 품질의 생산품과 용역을 받을 수 있도록 소비자의 권리를 보장해야 하며, 이를 위하여 필요한 정책을 시행해야 한다.
② 국가는 법률로 정하는 바에 따라 소비자운동을 보장한다.

제126조 국가는 호혜적이고 공정한 대외무역을 육성 하며, 이를 규제하고 조정할 수 있다.

제127조 민생이나 국방에 필요하여 법률로 정하는 경우를 제외하고는, 사영기업을 국유 또는 공유로 이전하거나 그 경영을 통제 또는 관리할 수 없다.

제128조 ① 국가는 기초 학문을 장려하고 과학기술을 혁신하며 정보와 인력을 개발하는 데 노력해야 한다.

② 국가는 국가표준제도를 확립한다.

③ 국가는 반지성주의를 배격해야 한다.

제12장 헌법 개정

제129조 ① 헌법 개정의 제안은 국회 재적의원 3분의 1 이상이나 국회의원 선거권자 50분의 1 이상의 찬성으로 한다.

② 대통령의 임기 연장 또는 중임 변경을 위한 헌법 개정은 그 헌법 개정 제안 당시의 대통령에 대해서는 효력이 없다.

제130조 ① 대통령은 제안된 헌법 개정안을 20일 이상 공고해야 한다.

② 국무총리는 제안된 헌법 개정안의 표결을 제헌의회에서 하고자 하는 경우 대통령에게 제헌의회 소집 건의를 할 수 있다.

③ 대통령은 국무총리가 제헌의회 소집 건의를 하면 이를 즉시 소집해야 한다.

④ 제헌의회 의원은 국민이 보통·평등·직접·비밀 선거로 선출하여 구성하되, 그 조직과 운영 기타 필요한 사항은 법률로 정한다.

제131조 ① 제헌의회는 소집 후 180일 이내로 존속 한다.

② 제헌의회가 소집되면 국회는 즉시 해산하며 국회의 모든 기능과 권한은 제헌의회로 이관된다.

③ 제헌의회가 소집되면 내각은 즉시 총사퇴하며 부통령이 국무총리를 대행하며 새로운 내각을 구성 한다.

④ 제헌의회는 재적의원 과반수의 찬성으로 법관을 파면 할 수 있다.

⑤ 제헌의회는 대법원, 지방의회, 지방정부, 지방법원의 권한을 제한할 수 있다.

⑥ 제헌의회는 제안된 헌법 개정안이 표결에서 부결되면 헌법 개정안을 수정하여 표결에 다시 부쳐서 의결할 수 있다.

⑦ 제헌의회는 헌법 개정이 확정되면 새로운 헌법에 따라 구성된 국회의 최초 집회일 전일까지 존속하며, 헌법 개정이 국민투표에서 부결되거나 180일 이내로 의결하지 못하면 기

존 헌법에 따라 다시 국회를 구성하고 구성된 국회의 최초 집회일 전일까지 존속하며, 그 국회의원의 임기는 기존에 해산된 국회의원 임기의 잔여 임기로 하며, 나머지 헌법상의 기구도 기존 헌법에 따라 다시 구성한다.

제132조 ① 제안된 헌법 개정안은 공고된 날부터 60일 이내에 국회 혹은 제헌의회에서 표결해야 하며, 재적의원 3분의 2 이상의 찬성으로 의결한다.

② 헌법 개정안이 의결한 날부터 30일 이내에 국민 투표에 부쳐 국회의원 선거권자 과반수의 투표와 투표자 과반수의 찬성을 얻어야 한다.

③ 헌법 개정안이 제2항의 찬성을 얻은 경우 헌법 개정은 확정되며, 대통령은 즉시 이를 공포해야 한다.

III. 부칙

제1조 ① 이 헌법은 공포한 날부터 시행한다. 다만, 법률의 제정 또는 개정 없이 실현될 수 없는 규정은 그 법률이 시행되는 때부터 시행하되, 늦어도 2026년 8월 15일에는 시행한다.

② 제1항에도 불구하고 이 헌법을 시행하기 위하여 필요한 법률의 제정, 개정, 그 밖에 이 헌법의 시행에 필요한 준비는 이 헌법 시행 전에 할 수 있다.

제2조 ① 이 헌법이 시행되기 전까지는 그에 해당하는 종전의 규정을 적용한다.

② 종전의 헌법에 따라 구성된 지방자치단체, 지방의 회, 지방자치단체의 장은 이 헌법 제9장에 따른 지방의회와 지방행정부의 장이 선출되어 지방정부가 구성될 때까지 이 헌법에서 정하는 지방정부, 지방의회, 지방행정부의 장으로 본다.

③ 종전의 헌법에 따라 구성된 교육청과 산하 조직은 폐지되어 법률에 따라 지방정부에 통합되며 교육감과 교육의원은 직위를 상실한다.

제3조 ① 이 헌법 개정 제안 당시 대통령의 임기는 2026년 8월 14일까지로 하며, 중임할 수 없다.

② 이 헌법 개정 제안 당시의 대통령이 궐위되거나 사고로 인하여 직무를 수행할 수 없을 때에는 국무총리, 법률이 정한 국무위원의 순서로 그 권한을 대행하며 국무위원도 모두 궐위되거나 사고로 인하여 직무를 수행할 수 없을 때에

는 차관 중에서 최선임자가 그 권한을 대행한다.

③ 이 헌법이 시행되고 나서 부통령이 선출되기 전에는 국무총리가 그 권한을 대행한다.

④ 이 헌법이 시행되고 나서 국무부총리가 선출되기 전에는 국무위원 중 최선임자가 그 권한을 대행한다.

제4조 ① 이 헌법 개정 제안 당시 국회의원의 임기는 2026년 8월 14일까지로 한다.

② 이 헌법 개정 제안 당시 국회의원 중 비례대표 국회의원이 궐위된 경우 승계자를 기존의 법률에 따른 조항을 따르지 아니하고 각 정당의 대표자에 의해 지명받는 자가 승계한다.

제5조 ① 이 헌법 개정 제안 당시 대법원장, 대법관의 임기는 2026년 8월 14일까지로 하며 대법관 중 최선임자는 이 헌법에 의한 부대법원장으로 간주하며 임기는 2026년 8월 14일까지로 한다.

② 종전의 헌법에 따라 구성된 헌법재판소는 폐지되며 재판관은 직위를 상실한다.

제6조 ① 2022년 6월 1일에 실시하는 선거와 그 재·보궐

선거 등으로 선출된 지방의회 의원 및 지방자치단체 의장의 임기는 2028년 8월 14일까지로 한다.

② 2022년 6월 1일에 실시하는 선거와 그 재·보궐선거 등으로 선출된 교육의원은 이 헌법 시행과 동시에 그 직을 상실한다.

제7조 ① 이 헌법 시행 당시의 공무원은 이 헌법에 따라 임명 또는 선출된 것으로 본다.

② 이 헌법 시행 당시의 감사원장, 감사위원은 이 헌법에 따라 감사원장, 감사위원이 임명될 때까지 그 직무를 수행하며, 임기는 이 헌법에 따라 감사원장, 감사위원이 임명된 날의 전날까지로 한다.

③ 이 헌법 시행 당시의 감사원장, 감사위원의 임면권은 국회에 있는 것으로 간주한다.

제8조 ① 군사법원은 이 헌법에 따라 폐지한다.

② 군사법원에 계속 중인 사건은 법원으로 이관된 것으로 본다.

제9조 ① 이 헌법 시행 당시의 법령과 조약은 이 헌법에 위반되지 않는 한 그 효력을 지속한다.

② 종전의 헌법에 따라 유효하게 행해진 처분, 행위 등은 이 헌법에 따른 처분, 행위 등으로 본다.

제10조 이 헌법 시행 당시 이 헌법에 따라 새로 설치되는 기관의 권한에 속하는 직무를 수행하고 있는 기관은 이 헌법에 따라 새로운 기관이 설치될 때까지 존속 하며 그 직무를 수행한다.

제11조 이 헌법 시행 당시의 지방자치에 관한 규정은 이 헌법에 따른 조례, 자치규칙으로 본다.

제12조 이 헌법 시행과 동시에 사형 판결을 받고 집행되지 않은 자는 무기징역으로 감형한다.

서울과 아시아지역학 3

발행 2024년 08월 20일

지은이 대한아시아지역학연구회
발행처 주식회사 부크크
출판등록 2014.07.15. (제2014-16호)
발행인 한건희
주소 서울특별시 금천구 가산디지털1로 119 SK트윈타워 A동 305호
이메일 info@bookk.co.kr
전화번호 1670-8316
ISBN 979-11-419-5440-6

값 20,000원